CW00428905

Breve historia
del urbanismo

Humanidades

Fernando Chueca Goitia

Breve historia
del urbanismo

El libro de bolsillo
Geografía
Alianza Editorial

Primera edición en «El libro de bolsillo»: 1968
Decimoctava reimpresión:1997
Primera edición en «Área de conocimiento: Humanidades»: 1998
Tercera reimpresión: 2002

Diseño de cubierta: Alianza Editorial
Ilustración: Fra Angelico, *La Descente de Croix* (fragmento)

© Fernando Chueca Goitia
© Alianza Editorial, S. A., Madrid, 1968, 1970, 1974, 1977, 1978,
    1979, 1980, 1981, 1982, 1983, 1985, 1986, 1987, 1989, 1991, 1993,
    1994, 1995, 1996, 1998, 2000, 2001, 2002
    Calle Juan Ignacio Luca de Tena, 15;
    28027 Madrid; teléfono 91 393 88 88
    www.alianzaeditorial.es
    ISBN: 84-206-3519-7
    Depósito legal: S. 1.443-2002
    Impreso en Gráficas Varona.
    Polígono «El Montalvo», parcela 49. Salamanca
    Printed in Spain

Lección 1
Introducción. Tipos fundamentales de ciudad

El estudio de la ciudad es un tema tan sugestivo como amplio y difuso; imposible de abordar para un hombre solo, si se tiene en cuenta la masa de saberes que habría de acumular. Una ciudad se puede estudiar desde infinitos ángulos. Desde la historia: «La historia universal es historia ciudadana», ha dicho Spengler; desde la geografía: «La naturaleza prepara el sitio, y el hombre lo organiza de tal manera que satisfaga sus necesidades y deseos», afirma Vidal de La Blache; desde la economía: «En ninguna civilización la vida ciudadana se ha desarrollado con independencia del comercio y la industria» (Pirenne); desde la política: la ciudad, según Aristóteles, es un cierto número de ciudadanos; desde la sociología: «La ciudad es la forma y el símbolo de una relación social integrada» (Mumford); desde el arte y la arquitectura: «La grandeza de la arquitectura está unida a la de la ciudad, y la solidez de las instituciones se suele medir por la solidez de los muros que las cobijan» (Alberti). Y no son éstos los únicos enfoques posibles, porque la ciudad, la más comprehensiva de las obras del hombre, como dijo Walt Whitman, lo reúne todo, y nada que se refiera al hombre le es ajeno. No debemos olvidar que en su interior anida la vida misma hasta confundirnos y hacernos creer que son ellas las que viven y respiran. Todo aquello que al hombre le afecta, afecta a la ciudad, y por eso muchas veces lo más recóndito y significativo nos lo dirán los poetas y los novelistas. La gran novelística del pasado siglo ha tenido casi siempre una ciudad como telón de fondo, y lo mismo que las mejores descripciones del cuerpo y el alma de París se las debemos a Balzac, las de Madrid son obra de Galdós. No deben, pues, perderse de vista, al estudiar las ciudades, las valiosas fuentes que nos ofrece la literatura.

No es posible, por tanto, recoger cosecha tan copiosa como la que ofrece el estudio de las ciudades al cultivador diligente. Podremos, todo lo más, apuntar ideas, desbrozar caminos, plantear cuestiones, aportar datos, etc., que fatalmente tendrán mucho de fragmentario y a veces de inconexo.

La primera dificultad que encontramos está en la definición de lo que es una ciudad. Si queremos, por la vía clásica, empezar explicando cuál es el objeto de nuestro estudio, en la primera puerta nos acecha la duda. Se han dado multitud de definiciones, y algunas, si no contradictorias, por lo menos nada tienen que ver con otras, igualmente respetables. No se trata de que exista error, sino que estas definiciones se refieren a conceptos de la ciudad enteramente diferentes o a ciudades que constitutivamente lo son. Nada tiene que ver la *polis* griega con la ciudad medieval; son distintas una villa cristiana y una medina musulmana, una ciudad-templo, como Pekín, y una metrópoli comercial, como Nueva York.

Aristóteles dice que «una ciudad es un cierto número de ciudadanos, de modo que debemos considerar a quién hay que llamar ciudadanos y quién es el ciudadano...». «Llamamos, pues, ciudadano de una ciudad al que tiene la facultad de intervenir en las funciones deliberativa y judicial de la misma, y ciudad en general, al número total de estos ciudadanos que basta para la suficiencia de la vida»[1]. Es una definición que corresponde a un concepto político de la ciudad, que conviene al tipo de ciudad-estado de Grecia. El Estado es la ciudad, y la ciudad es el Estado. El problema de la ciudad como tal se traslada al problema de la situación o estado político de sus habitantes, los ciudadanos.

Alfonso el Sabio[2] define la ciudad como «todo aquel lugar que es cerrado de los muros con los arrabales et los edificios que se tiene con ellos». Se trata de la ciudad medieval, que no se concibe sin unos muros que la defiendan de la amenaza exterior.

Cantillon, en el siglo XVIII, imagina así el origen de una ciudad: «Si un príncipe o un señor fija su residencia en un lugar grato, y si otros señores acuden allá y se establecen para verse y tratarse en agradable sociedad, este lugar se convertirá en una ciudad»[3]. He aquí el concepto de la ciudad barroca, de carácter señorial (Residenzstadt) y eminentemente consumidora, donde reina el lujo, que, según Werner Sombart, fue el origen de las grandes ciudades de Occidente, antes del advenimiento de la era industrial.

Para Ortega y Gasset[4], «la ciudad es un ensayo de secesión que hace el hombre para vivir fuera y frente al cosmos, tomando de él porciones selectas y acotadas». Basa Ortega y Gasset su definición en una diferenciación radical entre ciudad y naturaleza, considerando aquélla como una creación abstracta y artificial del hombre. Esto es sólo una parte de la verdad, o por lo menos es una verdad aplicable a determinado tipo de ciudades. Para Ortega, la ciudad por excelencia es la ciudad clásica y mediterránea donde el elemento fundamental es la plaza. «La urbe –dice– es, ante todo, esto: plazuela, ágora, lugar para la conversación, la disputa, la elocuencia, la política. En rigor, la urbe clásica no debía tener casas, sino sólo fachadas que son necesarias para cerrar una plaza, escena artificial que el animal político acota sobre el espacio agrícola»[5]. «La ciudad clásica nace de un instinto opuesto al doméstico. Se edifica la casa para estar en ella; se funda la ciudad para salir de la casa y reunirse con otros que también han salido de sus casas»[6].

Se mueve, por tanto, Ortega dentro de la órbita de la ciudad clásica, es decir, de la ciudad política. La ciudad donde se conversa y donde los contactos primarios predominan sobre los secundarios. El ágora es la gran sala de reunión y sede de la tertulia ciudadana, que a la larga es la tertulia política. Qué duda cabe que este tipo de ciudad locuaz y parlera ha tenido mucho que ver con el desarrollo de la vida ciudadana, y que en la medida en que esta locuacidad se pierde decae el ejercicio de la ciudadanía. Por eso las ciudades de la civilización anglosajona, ciudades calladas o reservadas, tienen de vida doméstica lo que les falta de vida civil. Esta distinción entre ciudades domésticas y ciudades públicas es más profunda de lo que parece y no ha sido suficientemente explayada por aquellos que se han dedicado al estudio de la ciudad. Una es ciudad de puertas adentro y otra es ciudad de puertas afuera. Aunque a primera vista resulte paradójico, la ciudad exteriorizada es mucho más opuesta al campo que a la ciudad interiorizada. La cosa es obvia: para los vecinos de la primera, el verdadero hábitat es el exterior, la calle y la plaza, que, aunque no tiene techo, tiene paredes (fachadas) que lo segregan del campo circundante. Sin embargo, la ciudad íntima tiene su hábitat en la casa, defendida por techos y paredes. No necesita segregarse del campo, ya que éste, en el fondo, es aislante que ayuda poderosamente a la intimidad. Por consiguiente, la ciudad de las fachadas es mucho más urbana, si por tal se entiende una entidad opuesta al campo, que la ciudad de los interiores. Por tanto, es perfectamente comprensible que para todo hombre latinizado y mediterráneo lo esencial y definitivo de la ciudad sea la plaza y lo que ésta signifique, de modo que cuando falta no acierta a comprender que una aglomeración urbana pueda llamarse ciudad.

Esto me sucedió a mí cuando me encontré con la civilización y la vida americanas. Presa de un cierto estupor, escribí lo siguiente: «Entonces, en un esfuerzo por desasirme de todo lo conocido, y ya sin vacilar en plantearme los hechos en todo su radicalismo, me atreví a proponerme una verdad, que puede ser subjetiva –también hay verdades subjetivas–, pero que para mí sigue siendo válida. La verdad es, sencillamente, ésta: que me hallaba ante una civilización sin ciudades»[7]. Contando América con las más gigantescas aglomeraciones humanas, esto podría parecer una *boutade;* pero no lo es, siempre que identifiquemos el concepto de ciudad con el de vida exteriorizada y civil.

Para los anglosajones será difícil asimilar la idea de que carecen de ciudades en el sentido de la *civitas* latina o de la *polis* griega. Acaso pueda decirse que poseen *towns*, palabra que deriva del viejo inglés *tun* y del viejo teutónico *túnoz* y que significa un recinto cerrado, parte del campo que corresponde a una casa o a una granja. No se trata, pues, de un concepto político, sino de un concepto agrario.

Los Estados Unidos carecen de ciudades tal y como nosotros las entendemos, aunque existan aglomeraciones humanas, concentraciones industriales, regiones suburbanas, «conurbaciones», etc.

A este respecto, es sintomática la construcción de los pueblecitos de New England. En medio del campo las casitas aisladas empiezan a apiñarse, nunca demasiado y desde luego sin tocarse ni perder su autonomía; pero al llegar al centro dejan un gran espacio vacío, llamado *common*. Este *common* no es, ni mucho menos, una plaza, un ágora, sino una parte del campo especialmente preservada. Como si las casas, al unirse, sintieran la nostalgia del campo dejado a la espalda, vuelven a recuperarlo en la parte más eminente, poniéndolo en valor, exaltándolo. En lugar de una secesión del cosmos, se trata de una valoración del paisaje, encuadrándolo convenientemente. En la pradera del *common* pacen los rebaños y rumian los bovinos bajo gigantescos y bellísimos olmos. La ciudad doméstica y callada es una ciudad eminentemente campesina, lo mismo que la ciudad locuaz y civil es eminentemente urbana.

Entre la ciudad doméstica y la ciudad civil queda flotando, con difícil referencia a esta polaridad, la ciudad islámica. A nuestro juicio, la clave nos la dan los versículos 4 y 5 del capítulo XLIX del Corán, llamado El Santuario: «El interior de tu casa –dice Mahoma– es un santuario: los que lo violen llamándote cuando estás en él, faltan al respeto que deben al intérprete del cielo. Deben esperar a que salgas de allí: la decencia lo exige».

El musulmán lleva al extremo la defensa de lo privado, pero por ello no puede permanecer durante mucho tiempo en la cárcel que él mismo se ha preparado, y su vida se escinde en vida de harén y vida de relación. No puede, pues, hablarse de una plena vida doméstica, ya que ésta se halla constitutivamente dividida. Tampoco cabe decir que domina la vida pública, como en la ciudad clásica, ya que existe la vida de harén. Esto, unido a la importancia que en el Islam tiene el factor religioso, acaba por dar una especial fisonomía a la ciudad.

La vida de harén condiciona la organización de la casa musulmana como un recinto herméticamente cerrado al exterior y, lo que es más, completamente disfrazado. Vagando por las tortuosas callejuelas árabes, llenas de recodos y pasadizos, nunca sabemos si bordeamos los muros de un gran palacio o la casa miserable donde se hacinan los desheredados. Todo está imbricado, revuelto y confuso de tal manera que el *camouflage* resulta perfecto. La vida completamente reclusa, sin apariencia exterior alguna, da lugar a una difícil ciudad sin fachadas, algo opuesto totalmente a la ciudad clásica, donde el escenario y la fachada eran lo principal. Tal situación debía llevar fatalmente a organizar la vida doméstica en torno al patio. Este elemento lo tomaron los árabes del mundo helenístico, pero lo transformaron, atemperándolo a sus exigencias vitales. Con el peristilo helenístico y el jardín encerrado entre tapias, de tradición irania, constituyeron la casa que deseaban, dentro de la cual podían gozar de las delicias de la vida al aire libre en un espacio estrictamente privado. La calle en la ciudad musulmana puede decirse que no existe, ya que se trata de eludir la exteriorización de la vivienda –fachada–, que es lo que constituye la razón de ser de la calle. El pueblecito de New England no tenía calles porque éstas, a lo más, eran senderos por el campo y entre las casas dispersas. Las medinas musulmanas tampoco las tienen, porque se convierten en inverosímiles pasadizos entre tapias, que difícilmente se abren paso en el complejo compacto de una edificación imbricada. Tiene mucha más importancia como desahogo el patio que la calle.

Tampoco existe en la ciudad islámica la plaza como elemento de relación pública. La función de la plaza la cumple también el patio, en este caso el patio de la mezquita. Pero como ya no se trata de política, sino de religión, su función en la vida social es muy diferente. No estamos ante un ágora para la discusión y la dialéctica, sino ante un espacio para la meditación silenciosa y para la pasiva delectación del tiempo que fluye. Por eso, en lugar de plaza como entidad urbana abierta, los musulmanes, incluso para la vida en común, prefieren de nuevo el patio, donde vuelven a encontrarse encerrados, «privados», en una actitud que pudiéramos llamar extático-religiosa. El único elemento de la ciudad que adquiere vida y está dominado por el bullicio humano es el zoco, la alcaicería o el bazar. Pero esto obedece ya a una necesidad puramente funcional insoslayable.

La ciudad musulmana está montada sobre la vida privada y el sentido religioso de la existencia, y de aquí nace su fisonomía. No puede, por tanto, confundirse con la ciudad pública ni tampoco con la ciudad doméstica.

Según Ernst Egli, los elementos estructurales que componen ciudad son: la casa, la calle, la plaza, los edificios públicos y los límites que la definen dentro de su emplazamiento espacial. Es de tal suerte una ciudad, que todos estos elementos obedecen a necesidades profundas de la comunidad, a circunstancias espirituales de todo orden y a condiciones nacidas del entorno físico, clima y paisaje. Todos estos elementos (casa, calle, plaza, monumentos, límites) obedecen a una concepción unitaria, y, así, no puede darse una calle musulmana con casas góticas, ni una catedral junto a un ágora clásica o cualquier otra combinación de elementos heterogéneos. Cada estructura urbana es esencialmente unitaria. Dice Egli que la idea fundamental de una ciudad está implicada en la idea de la casa individual de esta ciudad[8]. Observación bastante aguda, que, desde luego, se manifiesta clarividentemente en la ciudad musulmana.

Esto no quiere decir que una ciudad sea sólo un conjunto de casas, visión excesivamente simplista del fenómeno urbano. Casas existen en el campo, dispersas o formando grupos, como en las alquerías y almunias, y, sin embargo, éstas no constituyen ciudades. Por consiguiente, la ciudad es otra cosa; una determinada organización funcional que cristaliza en estructuras materiales. Pero esto no quita que uno de los elementos determinantes de tal cristalización sea la casa, en ordenación con el resto de los factores imperantes.

La fórmula de la ciudad musulmana es la organización de dentro afuera (desde la casa hacia la calle, por así decirlo), cuando en la ciudad occidental lo corriente ha sido lo contrario: desde la calle, previamente trazada, con plan o sin él, las casas han ido ocupando su sitio y conformándose a su ley distributiva. En la ciudad musulmana ha sido la casa la que ha prevalecido y la que ha obligado a la calle a encontrar su acomodo, un poco subrepticiamente, por entre los huecos que las casas le dejaban. De aquí que las calles hayan resultado tortuosas, laberínticas e inverosímiles.

Ésta es una actitud más inmediata y biológica que la de la ciudad europea, clásica o moderna. La casa significa que prima la necesidad individual, y la calle supone que sobre ella prevalece un imperativo superior, cual es la exigencia de la cosa pública. La calle representa el orden o ley general a que se supedita el capricho o la voluntad individual. Este imperativo superior ha faltado en las ciudades islámicas, por pertenecer a una sociedad más primitiva e imperfecta, donde no se encuentra desarrollada la noción abstracta del bien común. El individuo no tiene deberes para con la sociedad y sólo se halla religado con los poderes ultraterrenos. Sociedad y política están asfixiadas por la religión.

En gran parte, la ciudad española ha supuesto un intento de conciliar la urbe latina, locuaz y dialéctica, con el hermetismo, con el harén de la sociedad islámica. La existencia del español, por este hecho, todavía resulta más escindida que la del musulmán. La mujer se queda en casa, con escasísima vida de relación, y el hombre se va a la calle y a la plaza a participar de una vida pública mucho más intensa que la del musulmán. La mujer se conforma con mirar la calle desde los espesos cierres con grandes rejas voladas y celosías. Trasposición cristiana de los ajimeces musulmanes. Para ampliar el horizonte de estos furtivos miradores, todavía se ven en muchos pueblos de Andalucía depresiones talladas en los muros de las fachadas por donde la mirada puede resbalar más lejos.

Durante la era barroca, España dio forma a una típica ciudad que en otro lugar hemos llamado ciudad-convento. No es que otras ciudades europeas no tuvieran dentro de los muros y en los arrabales numerosos conventos, pero no pasaron de ser ciudades con conventos, mientras que las nuestras acabaron siendo, en algunos casos, conventos hechos ciudad. Esta peculiar estructura, representativa de la España católica de los Austrias, es, por paradójico que parezca, resultado directo, y bien evidente por cierto, de la peculiar morfología de la ciudad musulmana. Encontramos aquí un aspecto más de cómo nuestra religiosidad se ha vertido muchas veces en moldes islámicos.

Muchos conventos españoles se fundaron a raíz de la Reconquista en ciudades hispano-musulmanas, y si las iglesias se hicieron generalmente (no siempre) de nueva planta, los edificios de la vida monástica fueron el resultado de encerrar, dentro de altas tapias, casas, palacios, callejones y pasadizos, formando así enormes e irregulares manzanas que lo absorbían todo[9]. De este modo, por los nuevos conventos se preservaban y acotaban importantes sectores de las antiguas ciudades islámicas, que quedaban fijados para siempre en el tiempo inmóvil, detenido más allá de las tapias. Lo «privado» de la forma de vida musulmana se había refugiado en la más privada de las sociedades cristianas: la clausura. Todavía Toledo está lleno de conventos cuyas recónditas clausuras, cuyos escondidos patios y estancias refrescadas por surtidores, dicen mucho de la vida íntima del moro.

En las civilizaciones que más de cerca nos afectan tenemos, pues, constituidos tres tipos de ciudades: *a)* la ciudad pública del mundo clásico, la *civitas* romana, la ciudad por antonomasia; *b)* la ciudad doméstica y campestre de la civilización nórdica, y *c)* la ciudad privada y religiosa del Islam. Es muy difícil, pues, encerrar en una sola definición cosas tan diferentes, y no es de extrañar que diversos autores parezcan contradecirse, cuando lo que sucede es que en ellos predomina un enfoque determinado.

Si no es el carácter de vida pública el que puede definir universalmente a una ciudad, ya que hemos visto que otras no lo tienen, cabe pensar en una nota más amplia que acoja a estas diferentes especies.

Según Spengler, «lo que distingue la ciudad de la aldea no es la extensión, no es el tamaño, sino la presencia de un alma ciudadana...El verdadero milagro es cuando nace el alma de una ciudad. Súbitamente, sobre la espiritualidad general de la cultura, destácase el alma de la ciudad como un alma colectiva de nueva especie, cuyos últimos fundamentos han de permanecer para nosotros en eterno misterio. Y una vez despierta, se forma un cuerpo visible. La aldeana colección de casas, cada una de las cuales tiene su propia historia, se convierte en un *todo conjunto*. Y este *conjunto* vive, respira, crece, adquiere un rostro peculiar y una forma e historia internas. A partir de este momento, además de la casa particular, del templo, de la catedral y del palacio, constituye la imagen urbana en su unidad el objeto de un idioma de formas y de una historia estilística, que acompaña en su curso todo el ciclo vital de una cultura»[10].

En realidad, para una mente germánica como Spengler, el alma, o si se quiere el espíritu, sustituye a la dialéctica de la ciudad clásica. *El Geist* en lugar del *Logos,* y como una categoría más amplia, más comprensiva, que lo pueda abrazar.

«Hay aglomeraciones humanas –continúa Spengler– muy considerables que no constituyen ciudad; las hay no sólo en las comarcas primitivas, como el interior del África actual, sino también en la China posterior, en la India y en todas las regiones industriales de la Europa y de la América modernas. Son centros de una comarca, pero no forman interiormente mundos completos. No tienen alma. Toda población primitiva vive en la aldea y en el campo. No existe para ella la esencia denominada "ciudad". Exteriormente habrá, sin duda, agrupaciones que se distingan de la aldea; pero esas agrupaciones no son ciudades, sino mercados, puntos de reunión para los intereses rurales, centros en donde no puede decirse que se viva una vida peculiar y propia. Los habitantes de un mercado, aun cuando sean artesanos o mercaderes, siguen viviendo y pensando como aldeanos. Hay que penetrarse bien del sentimiento especial que significa el que una aldea egipcia primitiva –breve punto en medio del campo inmenso– se convierta en ciudad. Esta ciudad no se distingue acaso por nada exteriormente; pero espiritualmente es el lugar desde donde el hombre contempla *ahora el campo como un alrededor,* como algo distante y subordinado. A partir de este instante, hay dos vidas: la vida dentro y la vida fuera de la ciudad, y el aldeano lo siente con la misma claridad que el ciudadano. El herrero de la aldea y el herrero de la ciudad, el alcalde de la aldea y el burgomaestre de la ciudad, viven en dos mundos diferentes. El aldeano y el ciudadano son distintos seres. Primero sienten la diferencia que los separa, luego son dominados por ella, al fin acaban por no comprenderse uno a otro. Un aldeano de la Marca y un aldeano de Sicilia están hoy más próximos entre sí que el aldeano de la Marca y el berlinés. Desde este punto de vista existen verdaderas ciudades. Y este punto de vista es el que con máxima evidencia sirve de fundamento a la conciencia despierta de todas las culturas»[11].

Nos queda, pues, el problema de las ciudades sin alma, que en verdad es un grave problema. Ya lo habíamos apuntado al explicar cuál fue nuestra sorpresa al contemplar ciertas aglomeraciones norteamericanas, a las cuales nos resistimos a dar categoría de ciudades, no obstante su enorme volumen y su población. De hecho sigue costándonos un penoso esfuerzo el otorgarles este honroso título, lo que, sin embargo, no nos exime de tener que enfrentarnos con ellas, ya que son uno de los fenómenos claves de nuestra civilización actual.

Salvo casos especiales o que provienen de otras culturas distintas de la occidental, la ciudad sin alma coincide con la ciudad a que ha dado origen la revolución industrial. El nuevo complejo urbano consta, según Lewis Mumford, de dos elementos fundamentales: la factoría y el *slum*. Ellos, de por sí, constituyen lo que se ha llamado impropiamente ciudad. Una palabra que en este caso no significa más que un hacinamiento de gente en un lugar que puede ser designado con nombre propio a los efectos postales. Estas aglomeraciones urbanas, así ha solido acontecer, pueden aumentar más de cien veces sin adquirir la más leve de las instituciones que caracterizan a una ciudad en un sentido sociológico. Es decir, según Mumford, un lugar en el cual se condensa la tradición social y donde las posibilidades de continuo intercambio e interacción elevan a un alto potencial las actividades humanas[12].

En España, dado nuestro retraso industrial, no hemos conocido la típica ciudad «paleotécnica», ni la conoceremos ya. Nuestro retraso puede ofrecer por lo menos esa ventaja. Designa Mumford con el vocablo expresivo de «paleotécnica» a la primera era técnica, con todo su caótico y brutal desarrollo, que no tuvo más ley ni más control que la libre competencia, el *laissez faire* de los utilitaristas. Esta era paleotécnica ha dado lugar a las más insensatas y desalmadas ciudades que los hombres han puesto en pie, y lo que es más grave, reputadas como símbolo del progreso. Dice bien el escritor americano, que la factoría y el *slum* eran sus dos componentes esenciales y, por decirlo así, únicos. Ya no tenemos ni la plaza, ni el *common,* ni la catedral, ni el castillo, ni el palacio barroco, ni siquiera el mercado, como elementos que significan y elevan a un plano espiritual el papel de la ciudad. Sólo domina la ley áspera de la producción y el beneficio económico.

En cuanto a morfología, la ciudad de la era técnica adopta la árida cuadrícula. Lo que en Grecia fue triunfo del racionalismo, en Roma del espíritu práctico y militar y en Sudamérica de una jerárquica colonización, en el siglo XIX se convirtió en el instrumento de los especuladores de terrenos. Gracias a la cuadrícula, el aprovechamiento de los terrenos era máximo, y la igual importancia de las calles perseguía el ideal de que todos fueran igualmente valiosos. Todas las operaciones de cálculo de rendimientos, compraventa, etc., eran facilitadas extraordinariamente. Ya no era la cuadrícula de los ideólogos ni de los colonizadores, sino la de los traficantes de solares.

La factoría, además, se implantaba en los lugares más amenos y de mayores recursos naturales, como son los cursos de los ríos y las costas por lo que suponen como vías de comunicación. Las bellas riberas neoyorquinas y la naturaleza espléndida de su bahía son precisamente las franjas expoliadas por las exigencias de la técnica, con su cohorte de humos y detritus, que sólo por milagro ha dejado zonas intocadas, como el Riverside Drive. Si París hubiera sido una ciudad fundada en plena era paleotécnica no tendríamos ahora los famosos *quais,* gloria y regalo de esta urbe.

El otro componente de la ciudad paleotécnica es el *slum.* Esta palabra no tiene traducción en español aunque podríamos valernos equiparándola a suburbio industrial. El *slum* es la horrible colmena regimentada donde el instrumento hombre se conserva durante la noche para volverlo a utilizar de nuevo al día siguiente en la factoría. No existe, pues, la ciudad en ninguno de sus aspectos espirituales, sociales ni domésticos, sino una simple máquina de producción.

La ciudad paleotécnica pura apenas existe, aunque Birmingham, Bradford, Pittsburg o Detroit se le acerquen mucho. En cambio, lo que sí existe es la ciudad mixta, donde las estructuras industriales absorben cada vez un área espiritual y física mayor. Son estas estructuras la factoría, con su red de comunicaciones marítimas, fluviales, ferroviarias, que ocupan un espacio inmenso, el *slum,* con sus casas iguales y monótonas, estrictamente calculadas con arreglo al rendimiento económico del trabajador; y también el rascacielos, producto típico de la economía capitalista.

En esta ciudad paleotécnica, y asimismo en la neotécnica, por un proceso ecológico natural, las clases acomodadas huyen de las zonas que invaden la industria y el comercio y van a fijarse en una periferia cada vez más lejana, en medio de un ambiente campestre, donde el cielo está limpio y el humo de las fábricas se convierte en poético fondo de nubes. Con objeto de compensar esta disgregación y de vitalizar espiritualmente el centro de las ciudades, absorbido por las oficinas, pero repelente cuando éstas se cierran, se intenta formar centros cívicos que renueven la antigua función del ágora: con edificios representativos, culturales, de esparcimiento, dentro de un ambiente armónico, dignificado por la arquitectura; todo con vistas a tratar de galvanizar una vida ciudadana que insensiblemente se disuelve.

Esta tendencia se acusa de una manera creciente. El último congreso de CIAM (Congreso Internacional de Arquitectura Moderna) se ha dedicado al estudio de los centros cívicos de las ciudades y ha dado lugar a una publicación que lleva por título *The core* [«centro, corazón»] *of the city,* traducido al español por *El corazón de la ciudad.* En el trabajo que sirve de introducción, debido a José Luis Sert, se dice: «El estudio del corazón de la ciudad, y en general de los centros de la vida común, se nos presenta actualmente tempestivo y necesario. Nuestras investigaciones analíticas demuestran que las zonas centrales de las ciudades son cauces estériles, así como lo que un día constituyó el corazón, el núcleo de las viejas ciudades, se halla hoy desintegrado... Sin dejar de reconocer las enormes ventajas y posibilidades de estos nuevos medios de telecomunicación (radio, cine, televisión, prensa, etc.), seguimos creyendo que los lugares de reunión pública, tales como plazas, paseos, cafés, casinos populares, etc., donde la gente pueda encontrarse libremente, estrecharse la mano y elegir el tema de conversación que sea de su agrado, no son cosas del pasado, y que, debidamente adaptadas a las exigencias de hoy, deben tener lugar en nuestras ciudades»[13].

Esta tendencia indica la existencia de una vigorosa campaña para reconstruir los órganos públicos de una ciudad –en una palabra, el ágora–, que si en un tiempo fueron menospreciados por una civilización orgullosamente utilitaria, ahora la experiencia los reclama como esenciales en la vida humana, sobre todo a la vida de comunidad que representa la ciudad. Si esa campaña diera sus frutos y se materializara en estructuras físicas, podría considerarse la ciu-

dad «paleotécnica», sin alma y sin «corazón», como un fenómeno transitivo, resultado de un estado de provisionali-
dad, incapaz, por tanto, de fijarse en forma perdurable.
Seguirían prevaleciendo como tipos históricamente consa-
grados, la *polis* griega y su heredera la *civitas* romana, la
town anglogermánica y la *medina* musulmana; pero la ciudad occidental moderna, hija del desarrollo tecnológico, re-
sultaría hasta el momento como algo abortivo y frustrado.
Nuestra época, por de pronto, empieza a reclamar el ágora.
¿Logrará incorporarla dentro de una estructura original y
dará nacimiento a un nuevo tipo de ciudad que represente al
mundo occidental moderno?

Por el momento, bástenos decir que la ciudad moderna es
un conglomeramiento en el que perviven viejas estructuras
históricas y antiguas formas de vida junto con las nuevas del
capitalismo y de la técnica. Depende de lo que haya sido más
fuerte en cada una según su peculiar evolución, para que el
carácter varíe de unas a otras. Qué duda cabe que París es un
centro industrial; pero la tradición es tan fuerte en este caso
que la «celoma» de la ciudad tiene todas las posibilidades de
perdurar mucho tiempo por su gran capacidad de resisten-
cia. Otras ciudades más débiles resisten peor los empellones
de la novedad y son más fácilmente desintegradas.

Lo que caracteriza a la ciudad contemporánea es precisamente eso, su desintegración. No es una ciudad pública a la
manera clásica, no es una ciudad campesina y doméstica, no
es una ciudad integrada por una fuerza espiritual. Es una
ciudad fragmentaria, caótica, dispersa, a la que le falta una
figura propia. Consta de áreas indeciblemente congestiona-
das, con zonas diluidas en el campo circundante. Ni en unas
puede darse la vida de relación, por asfixia, ni en otras por
descongestión.

El hombre, en su jornada diaria, sufre tan contradictorios
estímulos que él mismo, a semejanza de la ciudad que habi-
ta, acaba por encontrarse totalmente desintegrado.

Lección 2
La ciudad, archivo de la historia

En la introducción a este pequeño libro, a la vez que se establecían unos tipos fundamentales de ciudad, se articulaban éstos dentro de un proceso histórico que es esencial estudiar para comprender lo que ha sido, es y puede llegar a ser la ciudad.

Tomemos un ejemplo: la ciudad medieval se nos aparece a todos como una ciudad amurallada. Esto podrá parecer un hecho físico accidental, pero la realidad profunda es que se trata de un hecho condicionante del más largo alcance. En la Edad Media aparece la ciudad como una organización comunal. Precisamente una de tantas causas que influyeron en el nacimiento de las comunidades fue la necesidad de organizar un sistema de contribuciones voluntarias para atender a las obras apremiantes de construcción y conservación de las murallas. Max Weber[1] ha estudiado la repercusión de las murallas o, en un sentido más amplio, de la ciudad entendida como fortaleza y guarnición, en la regulación administrativa de la propiedad inmobiliaria netamente burguesa. La condición jurídica de la casa y de la tierra que poseían los burgueses estaba determinada por la obligación de vigilar y defender la fortaleza. La ciudad no sólo defendía a sus propios habitantes, sino que generalmente era lugar de refugio para gentes y ganados del campo circunvecino. Por eso era frecuente que las cercas tuvieran mucha mayor extensión que la necesaria para encerrar la superficie edificada. Estas zonas vacías solían servir para albergar en ellas los ganados y otros pertrechos cuando la guerra asolaba la comarca o la inseguridad lo aconsejaba. En cambio, numerosos señores y concejos prohibieron repetidamente que las propiedades inmuebles del interior de la cerca pasasen a manos de iglesias, órdenes monásticas o gentes exentas de tributación, para no disminuir los ingresos concejiles ni los derechos reales. Disposiciones en este sentido se encuentran en multitud de fueros españoles[2]. En una palabra: como decía Max Weber, la propiedad inmobiliaria burguesa tenía una especial regulación, que es lo que caracteriza a la comuna medieval.

Enrique IV de Castilla concedió en el año 1465 unas determinadas franquicias a los moradores de Madrid, bien fueran moros, cristianos o judíos, pero obligándoles a no salir de sus muros, «non salgan a bevir ni morar fuera de los arrabales», y a que si lo hicieren, pecharan cada uno con dos mil maravedís para el repaso de los muros y cerca de la dicha villa. Los madrileños tenían obligación de velar y guardar el Alcázar, y como parece ser que muchos se zafaban de hacerlo, los pocos que lo cumplían se quejaron al rey en 1473, diciendo que la carga era muy fatigosa y que si seguían así las cosas la villa se despoblaría[3].

La necesidad de estas murallas, que caracterizan a la ciudad medieval, fue en muchos casos el origen de las finanzas municipales. Lo que comenzó por ser una contribución voluntaria, adquirió pronto carácter obligatorio, extendiéndose no sólo a la fortificación sino a otras obras comunes, como el mantenimiento de las vías públicas. Aquel que no se sometía a esta contribución era expulsado de la ciudad y perdía sus derechos. La ciudad, por consiguiente, acabó por adquirir una personalidad legal que estaba por encima de sus miembros. Era una comuna con personalidad jurídica propia e independiente. Esta personalidad jurídica otorga a la ciudad un clima de franquicia y de privilegio, de libertad, en medio del mundo rural circundante, mucho más sometido. Dice un proverbio alemán que el aire de las ciudades es libre y hace libre a los hombres: *Die Stadtluft macht frei.* Desde entonces, siempre ha conservado la ciudad ese clima libre e independiente que es uno de los alicientes que han atraído al hombre hacia ellas. Hoy no es porque exista un estatuto jurídico diferente para el burgués y el campesino, sino por otras causas que tienen que ver con la variedad, los recursos, las posibilidades que la ciudad ofrece. La libertad, al fin y al cabo, aumenta en razón directa de estas posibilidades. Si en la ciudad de hoy no existe una diferencia de estatus jurídico, sí existe de estatus social.

Estas y otras circunstancias, sobre todo de origen económico, dieron lugar a que Henri Pirenne definiera la ciudad medieval como «una comuna comercial e industrial que habitaba dentro de un recinto fortificado, gozando de una ley, una administración y una jurisprudencia excepcionales que hacían de ella una personalidad colectiva privilegiada»[4].

Hoy en día no quedan murallas, y esto parece ya historia pasada; pero la realidad es otra, pues la existencia de aquellas pretéritas defensas gravita sobre las ciudades de hoy no sólo por lo que respecta a una estructura física todavía vigente, sino por el papel que jugaron en la constitución de la comunidad municipal, que en grandes rasgos ha prevalecido y prevalece en nuestros días. La ciudad, como la realidad histórica, no es nunca independiente de las etapas por las que pasó en su evolución: es actualización de ellas y su proyección hacia el porvenir.

Sin embargo, en la misma Edad Media, las ciudades que gozaban de un estamento especial para los burgueses eran una minoría, reducida casi exclusivamente al Occidente cristiano. Es decir, el Ayuntamiento urbano, tal y como

nosotros lo conocemos, era desconocido en Asia, en el Pró-
ximo Oriente y en el mundo islámico. Muchas ciudades
orientales eran una fortaleza y tenían mercado como las occidentales, pero carecían de un estatuto jurídico propio. Son,
pues, categorías de ciudad completamente diferentes que no
pueden abrazarse en una definición común.

Pasemos de la Edad Media al llamado mundo moderno,
en el que los mejores espíritus trataron de fundar su especulación en el criterio de evidencia. Esta evidencia no la tiene
el hombre por medio de los sentidos sino por medio de su
razón. Todo lo que no es racional viene a ser sospechoso. Las
ciudades antiguas, como producto de la historia, no podían
ponerse como ejemplo de construcciones racionales. Los
hombres de entonces no vieron en ellas más que desconcier-
to y caos. Ésta es la postura de Descartes:

«Así aquellas antiguas ciudades que al principio sólo fueron villorrios y se convirtieron, por la sucesión de los tiempos, en grandes ciudades, están por lo común tan mal com-
puestas, que al ver sus calles curvas y desiguales se diría que
la casualidad, más que la voluntad de los hombres usando de
su razón, es la que las ha dispuesto de esta manera»[5].

Todavía en el siglo XVII la historia no tiene que ver nada
con la razón, incluso se opone a ella; lo que la razón hace
–por ejemplo, una ciudad constituida con arreglo a un plan
unitario–, es lo contrario de lo que la historia va acumulando en su curso y que parece obra del azar[6].

Trataron, pues, los hombres de los siglos XVII y XVIII de
racionalizar la ciudad, de pensarla *more geometrico,* por
considerar que todo lo anterior no era sino obra del azar. Ne-
gando, pues, la razón histórica, le daban la razón a la historia, añadiendo un nuevo ingrediente al ser histórico de la
ciudad. La historia de la ciudad se enriquecía con un nuevo
capítulo, y cada una de aquellas ciudades –claro está, no lo
fueron todas– que quedó afectada por el impacto del racionalismo, siguió viviendo su propia vida histórica, matizada

de una u otra manera según las complejas circunstancias en que se produjo el hecho y según el alcance del mismo.

El racionalismo dio nacimiento a la ciudad como obra de arte, como arti-facto. Con anterioridad, las ciudades habían sido bellas por su crecimiento natural y orgánico, como es bello un árbol. Nada en su desenvolvimiento había sido ordenado por la voluntad de los hombres usando de su razón, pero eran hijas de la voluntad histórica usando de la razón vital. Ahora bien: ¿hubiera, en cambio, dejado la ciudad de ser hija de la historia si no hubiera recogido en su evolución las más importantes concepciones del mundo, lo que los alemanes llaman *Weltanschauung*? Al fin y al cabo, el que la historia se haga en la ciudad obliga a que la ciudad se haga en la historia.

Las primeras huellas del racionalismo en el cuerpo físico de la ciudad fueron tímidas, y a veces un poco toscas. En relación con los edificios importantes, se construyeron plazas pensadas con simetría y adecuación artística; otras veces, estas plazas regulares constituían por sí solas entidades completas, como sucedió con nuestras típicas plazas mayores del tiempo de los Austrias. Cuando las circunstancias lo permitían, se trazaban ciudades de plano regular, como las de nuestra colonización americana. Entonces el sistema seguido fue el de la cuadrícula, muy geométrico y muy cartesiano, pero falto en general de sutileza artística. La cuadrícula había sido utilizada por los griegos también cuando el racionalismo, o si se quiere el idealismo, presidía el pensamiento. Lo fue también por los romanos, llevados de su sentido práctico.

Con la llegada del mundo barroco la ciudad sufrió una mayor y trascendental transformación. Para ello, sobre la base inicial del racionalismo cartesiano, que había sentado ya la necesidad de la ciudad como arti-facto, como faena de la voluntad humana iluminada por la razón, tuvieron que producirse dos hechos, uno de carácter estético y otro de carácter político-económico. El primero fue el desarrollo de la perspectiva, del perspectivismo, como concepción del espacio artístico, y el segundo, el auge del poder absoluto del príncipe unido a la economía consumidora de la corte.

Ambas características se dan de una manera extremada en las llamadas *Residenzstädte* o ciudades principescas. Si no hubiera existido el poder omnímodo y convergente del príncipe, si no hubiera existido una corte consumidora capaz de hacer prosperar el lujo, el nuevo estilo perspectivista, que no está fundado en ninguna necesidad funcional ni utilitaria, sino en el puro deleite, que en ocasiones llega al orgulloso placer de forzar a la naturaleza, no hubiera podido materializarse como lo hizo. Igualmente, si el arte no hubiera alcanzado con el uso de la perspectiva las cimas que alcanzó en el barroco, el poder de los príncipes y el lujo de las cortes no habrían logrado la expresión esplendorosa que tuvieron en su tiempo y que hoy prevalece como recuerdo de su grandeza.

El siglo XIX provocó en la ciudad alteraciones de un orden muy diferente que las que trajo el período barroco. La revolución industrial, basada en los postulados del utilitarismo y en la política del *laissez faire,* llevó al convencimiento de que lo más importante era aumentar la riqueza de los individuos y de las naciones por todos los medios posibles. Con este criterio, todos los valores humanos, sociales, estéticos, se supeditaron al despotismo de la producción y esto tuvo consecuencias materiales, no muy agradables, por cierto, en la forma y desarrollo de las ciudades. Lo que ya hemos apuntado en la introducción, tratando de la urbe paleotécnica, lo estudiaremos más pormenorizadamente en la lección titulada «La ciudad industrial».

En efecto, la ciudad se ha ido formando y conformando paulatinamente al correr de la historia. Sucede un gran acontecimiento político y el rostro de una ciudad tomará nuevas arrugas, dijo Spengler[7] o bien: los gestos de la ciudad representan casi la historia psíquica de la cultura[8]. Una vez que la ciudad se ha implantado en el terreno propicio, implantación o fundación que en la antigüedad tenía un carácter litúrgico y equivalía a transformar el nuevo solar en *terra patrum,* patria, la naturaleza humana va trazando las líneas de la nueva estructura, en un proceso vital en el que se halla implicado un cúmulo de costumbres, tradiciones, sentimientos, actitudes, característicos de una determinada colectividad. Pero es más: estas estructuras que han ido conformándose a través de este proceso, acaban por constituir ellas mismas una segunda naturaleza; es decir, estas estructuras reobran a su vez sobre los habitantes, que se encuentran con una exterior realidad con la que ya tendrán que contar.

En una palabra, siempre que tratemos de buscar el ser último, la realidad radical de una ciudad, nos encontraremos, por un lado, con una organización física, con unas instituciones, con una serie de calles, edificios, luces, tranvías, teléfonos, tribunales, hospitales, escuelas, universidades, etc., pero también, por otro, con un conjunto de costumbres, de tradiciones y sentimientos que definen algo que muchos, entre ellos Spengler, han denominado el alma de la ciudad. No podemos decir que esa realidad radical corresponde sólo a uno de estos órdenes, al físico o al moral, sino a algo que los resume y acoge conjuntamente. Puesto que los contenidos de esta organización física y moral de la ciudad se están, como hemos dicho, modelando y modificando uno a otro por su mutua interacción, este fenómeno tiene que producirse dentro de un ámbito que no puede ser otro que el de la vida de la propia ciudad, que en este caso no es sino la historia. Lo mismo que la filosofía orteguiana ha definido al hombre como una realidad vital, trasladado este concepto al área más vasta de lo colectivo en la que se mueve la ciudad, definiríamos ésta como una realidad histórica; es decir, para nosotros, esa última instancia no es otra ni puede ser otra que la historia. La ciudad, en última y radical instancia, es un ser histórico. La ciudad no consiste en ser estructura, ni en ser alma colectiva; consiste en otra cosa, cuyo ser es histórico.

A nuestro juicio, una vez sentado esto, todos los diversos, inquietantes y muchas veces contradictorios aspectos de la ciudad, imposibles a primera vista de reducir a unidad, se aclaran y conjugan en jerárquica ordenación. Pero esto exige que reanudemos la cuestión bajo un enfoque diferente.

A la ciudad, en cierto modo como al ser humano, le acontece que siempre es la misma y nunca es lo mismo. Londres, París, Sevilla o Moscú habrán variado y seguirán variando considerablemente a través del tiempo, pero en ningún momento estas alteraciones han podido llevarlas a tal pérdida de su propia mismidad que una haya podido confundirse con otra, no digo ya en un período simultáneo, sino en períodos distantes de su evolución. Cuando una ciudad ha perdido su propia mismidad, cuando en un cierto estado se ha desvanecido toda referencia a su pasado, es que esta ciudad ha muerto y ha dado paso a otra diferente.

Se nos dirá, y es cierto, que las ciudades, por el hecho de su invariable emplazamiento, de su fuerte ligamen a la tierra, están en la imposibilidad de intercambiarse, de perder su individualidad, y que aunque una ciudad desapareciera por completo, arrasada hasta no quedar ni la ceniza de sus hogares, la que se construyera en el propio lugar tendría siempre que ver con ella. Pero esto no excluye nuestra tesis, ya que al decir que la ciudad, en cuanto tal, tiene personalidad y se mantiene a través de la historia, no hacemos distingos sobre la naturaleza de las causas de dicha mismidad, conviniendo en que una de ellas –aunque no la única– es, evidentemente, su emplazamiento físico, su ligamen a la tierra. Tampoco es extraño a la persona humana y a su consistencia individual su ser biológico.

El hecho de que una ciudad hunda sus raíces en la tierra madre y se implante en ella de una determinada manera, diferencia y diferenciará siempre a la ciudad de la máquina, del instrumento, e impedirá que pueda producirse en serie. A querer, puede fabricarse la casa en serie, la casa prefabricada, pero cuando muchas de estas casas tengan que implantarse en el suelo, formando un conjunto, será obligado hacerlo de una manera única, intransferible.

Posiblemente, la singular implantación de la ciudad sobre la tierra, geología y paisaje, nos descubriría diferencias radicales con otros asentamientos de tipo industrial o técnico. Al referirnos a la ciudad hemos dicho implantación, y no por capricho, sino por considerar que este término expresa mejor que otro la relación entre naturaleza y ciudad. Implantar significa fundar, establecer, instituir, empezar a poner en práctica algo nuevo. La ciudad no se sitúa sobre el terreno sin más; se funda sobre la tierra propicia que han señalado los dioses. Cuando los romanos fundaban una ciudad, cavaban un pequeño foso, llamado *mundus,* y en él los jefes de las tribus que iban a constituir esta nueva ciudad iban depositando un puñado de tierra del suelo sagrado donde yacían sus mayores. Desde este momento la nueva ciudad era también *terra patrum,* patria.

La tierra donde la ciudad se implanta es siempre patria. Tito Livio decía de Roma: «No hay ninguna plaza en esta ciudad que no esté impregnada de religión y que no esté ocupada por alguna divinidad [...] los dioses la habitan»[9]. En mayor o menor grado, toda ciudad participa de este carácter sagrado y es un santuario, si no de la religión, por lo menos de la historia. De esta forma, el suelo convertido en patria tiene que tener una especial significación. La ciudad se implanta en él, es decir, se arraiga como el vegetal. Una factoría, en cambio, más que implantarse lo que hace es imponerse sobre la tierra, utilizarla en su provecho, violentarla si es preciso. Es un acto de imposición en lugar de implantación, posturas a todas luces antitéticas. Si la ciudad conforma la naturaleza, la industria generalmente la deforma; es la diferencia de verla como patria o como instrumento.

Nunca he creído que una ciudad digna de este nombre sea algo total y absolutamente opuesto al campo, en abierta hostilidad al medio natural. Muchos, sin embargo, han considerado que es así y han definido la ciudad en forma negativa, como lo que no es campo, lo cual me parece erróneo, primero porque tal definición, falta de notas positivas, es notoriamente incompleta, y, segundo, porque la ciudad es, a su modo, también campo, aunque sea campo conformado, campo hecho patria. Ortega parece recaer en la postura negativista cuando dice: «La ciudad es un ensayo de secesión que hace el hombre para vivir fuera y frente al cosmos, tomando de él sólo porciones selectas y acotadas»[10]. Sin embargo, en la definición orteguiana existe una contradicción latente. El hombre pretende vivir fuera y *frente* al cosmos, es decir, acusa Ortega el carácter de la ciudad como opuesto al campo. Pero –he aquí la contradicción– lo que hace para conseguirlo es retirar, secesionar porciones selectas de ese cosmos en el que al final sigue viviendo. Nosotros diríamos, salvando la contradicción, que el hombre separa y conforma esas porciones para vivir, no frente al cosmos, sino en una nueva relación con él, en relación de patria.

En efecto, las ciudades han acotado significativos trozos de este planeta, pero en ellos la naturaleza, conformada y potenciada, ha seguido existiendo como basamento físico y espiritual de la obra humana. En esos espacios acotados han quedado, por ejemplo, los ríos, deidades míticas y venas vitales, y aunque hayan sido, en su curso por la ciudad, canalizados o constreñidos a otras exigencias urbanas, no por eso el Sena, el Arno o el Danubio dejan de ser lo que son. La ciudad se implanta, pues, en el cosmos, no se impone.

A estas consideraciones sobre la implantación de las ciudades en la naturaleza habíamos llegado al afirmar la individualidad de aquéllas, su no desmentida mismidad a través de la historia. Es, pues, ocasión de que volvamos al punto de partida. Esta individualidad, este ser único de una ciudad con respecto a otras, tiene claras raíces materiales, no sólo originadas por el sitio, por el emplazamiento (aunque pueden existir semejanzas, no pueden darse dos emplazamientos idénticos), sino por la propia estructura de la ciudad que, a la larga, se va convirtiendo en otra segunda naturaleza. La ciudad misma se resiste a perecer, es una de las más imperecederas creaciones humanas. De aquí su valor singular como testimonio histórico. Los urbanistas han estudiado lo que han denominado ley de pervivencia del plano. El análisis de la evolución temporal de las ciudades ha conducido a la constatación de que si bien la edificación se transforma y se sustituye al correr de los años, el plano generalmente permanece o sufre muy contadas rectificaciones. Córdoba, Toledo o Granada conservan barrios donde el trazado musulmán se mantiene incólume. El plano de Madrid que dibujó Texeira en 1651 es, en grandes líneas, con variaciones insignificantes, el plano actual del casco de la capital. Las ciudades, como los ofidios, cambian de piel, pero su ser permanece inalterable.

Pero hay más: no sólo son raíces materiales las que aseguran la permanencia de las ciudades como entes individuales. Existen otras de índole espiritual; existe el alma de la ciudad. Ésta es la tesis de Spengler a que nos referíamos en un principio[11].

«La ciudad –dice el sociólogo americano Robert E. Park– es algo más que un conjunto de individuos y de conveniencias sociales; más que una serie de calles, edificios, luces, tranvías, teléfonos, etc., algo más, también, que una mera constelación de instituciones y cuerpos administrativos: audiencias, hospitales, escuelas, policía y funcionarios civiles de toda suerte. La ciudad es más un estado de alma [a state of mind], un conjunto de costumbres y tradiciones, con los sentimientos y actitudes inherentes a las costumbres y que se transmiten por esta tradición. La ciudad, en otras palabras, no es un mecanismo físico ni una construcción artificial solamente. Está implicada en el proceso vital del pueblo que la compone; es un producto de la naturaleza y particularmente de la naturaleza humana»[12].

Y más adelante sigue diciendo Park que la ciudad radica en las costumbres y en los hábitos de sus habitantes, que posee tanto una organización física como moral, que se modelan y modifican una a otra por su mutua interacción. La estructura de la ciudad, que, primeramente impresiona por su complejidad, tiene por base la naturaleza humana, de la cual es expresión. Pero a su vez esta estructura, ya formada, reobra sobre sus habitantes, que se encuentran con una externa realidad con la que tienen que contar. «Estructura y tradición no son sino diferentes aspectos de un solo complejo cultural que determina lo que es característico y peculiar a la ciudad y la distingue de la aldea y de la vida del campo»[13].

Estos conceptos de Park recogen la tesis, que pudiéramos llamar animista, de Spengler y avanzan sobre ella desde el momento en que tienen en cuenta en su justo valor la importancia de las estructuras materiales en la realidad total que es una ciudad. Park postula con acierto la articulación dinámica de los diferentes aspectos materiales y espirituales que concurren a determinar lo que es característico y peculiar a la ciudad, pero se detiene al llegar a la formulación de cuál es la naturaleza de ese complejo cultural que determina precisamente lo que es característico y peculiar. En ella ha de estar, pues, la realidad radical de una ciudad, de la cual todos los múltiples aspectos son realidades radicantes. Por ese camino llegamos nosotros a afirmar que esa realidad radical no es otra ni puede ser otra que la historia, que la ciudad no es sólo estructura ni sólo espíritu, sino una realidad que abraza ambos componentes, su ser físico y su ser moral conjugados en una realidad superior: su ser histórico.

Si las ciudades más que ligadas a la historia son historia ellas mismas, esto nos explicará mucho de su realidad. Vamos a abordar un punto concreto a la luz de esta evidencia nuestra de que la ciudad es, en última instancia, historia. Es éste el de la ciudad como obra de arte. ¿Es o no es la ciudad una obra de arte? Ya hemos visto cómo durante los siglos XVII y XVIII se intenta racionalizar la ciudad, convertirla en artefacto, en algo racionalmente pensado y dispuesto por la voluntad humana. Bajo esta pretensión, y sólo bajo ella, puede considerarse la ciudad como una verdadera obra de arte, ya que no puede considerarse creación artística sino aquella que proviene de la voluntad humana claramente definida. La obra de arte no se entiende sin el artista.

Pero esto, esta pretensión de convertir la ciudad en obra de arte, no alcanza más que a determinadas fases del acontecer humano. La ciudad en su integridad es muy pocas veces obra de una voluntad previamente establecida, y cuando esta voluntad llega a imponer un determinado sello, lo hace generalmente de una manera fragmentaria y episódica. Apenas cuando han empezado a materializarse estructuras que reflejaban los ideales de unos hombres o de una sociedad, estos hombres y esta ciudad eran ya cosa pasada y sus ideales se habían ido con ellos, sustituidos por otros nuevos. Existe casi siempre un *defasage* entre los ideales de cualquier género (religiosos, sociales, políticos, etc.) y su expresión artística. En una palabra: la ciudad es siempre *antigua*. Esto ya lo vio sagazmente Julián Marías, que considera a la ciudad, por ser artística, expresiva de un estilo, de una estructura de alma, pero haciendo una salvedad, que es la que sobre todo nos interesa: «Pero hay que agregar una nota importante: la ciudad, que tarda en hacerse –por eso no es caprichosa– dura mucho tiempo, excepto en su fase de fundación, cuando todavía no es ciudad, es siempre *antigua*. Normalmente el individuo vive en una ciudad que no han hecho sus coetáneos, sino sus antepasados; es cierto que la transforma y modifica, sobre todo la *usa* a su manera, descubriendo en ello su voçación peculiar; pero por lo pronto es una realidad, recibida, heredada, *histórica*. (Este último subrayado es mío.) Es decir, ni más ni menos que la sociedad misma. Por eso es difícil de entender; por eso es profunda, radicalmente reveladora»[14].

En una palabra, la forma de una ciudad permanece cuando la sustancia social que le dio vida ha desaparecido. Por eso, formalmente, la ciudad es también historia en sí misma. La ciudad en que vivimos tiene siempre un carácter de *reliquia*. La ciudad más profana es en alguna medida el lugar sagrado donde se da culto a los antepasados. Pero desde el punto de vista artístico, este constante suceder que es la ciudad misma no permite que se produzca con el debido sosiego la maduración de la obra plástica. *La ciudad siempre* ha sido y será, por la índole de su esencia, artísticamente fragmentaria, tumultuosa e inacabada. No encontramos en ella esa forma definitiva y redonda que ansía el sentimiento estético. Por eso toda ciudad es, estéticamente hablando, una frustración. El hombre que ha conseguido realizaciones tan perfectas en el campo de la belleza, no ha conseguido crear la ciudad bella, a pesar de tantos y tan ingentes esfuerzos. Esto lo percibe cualquier espíritu sensible, cualquier temperamento estético que viaje y recorra las ciudades del globo. Unas más y otras menos, todas dejan en su ánimo, al final, una penosa insatisfacción.

Esta insatisfacción se produce porque si bien se trata de un fenómeno artístico, éste se halla supeditado a pulsación histórica. Es un fenómeno artístico en cuanto que es expresión en cada momento de una realidad social. Pero el constante cambio de ésta, bien sea por evolución o salto, no permite que se produzca el equilibrio requerido en toda creación estética. Las estructuras urbanas, y conste que al hablar de estructuras nos referimos tanto a las externas como a las internas, son constantemente intervenidas, zarandeadas casi, por la pulsación histórica, detrás de la cual van arrastradas con más o menos *decalage*. En síntesis, podría decirse que la ciudad participa del espíritu artístico, sin llegar a ser, sin embargo, una obra de arte. Si lo fuera en un sentido plenario, dejaría de ser lo que radicalmente es: historia. «Cuando contemplamos algo desde un punto de vista estético –ha dicho Simmel–, deseamos que las fuerzas opuestas de la realidad lleguen a un equilibrio cualquiera, que se haga un armisticio entre lo alto y lo bajo. Pero contra este deseo de una forma permanente se rebela el proceso moral del alma, con su incesante subir y bajar, con la continua prolongación de sus límites, con la inagotabilidad de las fuerzas contrarias que en él juegan»[15].

Más cerca está la ciudad del proceso moral que del proceso artístico. Su extremada dependencia del hombre, como dijimos en un principio, de su inquietud, que no admite reposo, le impide permanecer en las sosegadas riberas donde florece el arte.

En una ciudad podrán existir edificios que sean obras de arte magníficas; acaso barrios completos, que hayan logrado la permanencia y estabilidad de una ciudad estilística completa; pero la ciudad en su conjunto, expresión de la inestabilidad y fluencia del alma colectiva, nunca alcanzará rango de obra de arte. En los contados casos que esto no sucede es porque se trata de ciudades muertas, preservadas artificialmente. Las ciudades alcanzan su condición de obras de arte sólo cuando mueren. Les pasa lo que a las personas de vida agitada, martirizadas por el sufrimiento, cuyos rasgos se embellecen con la serenidad de la muerte.

Cuando la ciencia histórica ha ido renovando sus conceptos, cuando sus métodos se han ido perfeccionando y su campo se ha ido ensanchando y profundizando, se ha despertado paralelamente una nueva percepción de la ciudad como hecho histórico, porque si se trata por esencia de un organismo histórico, es también un documento, un depósito, el más formidable, de lo que el acontecer humano va dejando sobre ella en lenta y continua sedimentación. De las ciudades se veía hasta hace poco los monumentos señeros y venerables, las cumbres de la orografía urbana, las catedrales, los palacios, los monumentos conmemorativos. Esto correspondía perfectamente con una idea de la historia como contienda y faena de unas grandes personalidades dominantes, que decidían entre sí el destino humano. Pero ya la mentalidad actual no se satisface con visión tan simplista, y al tratar de discernir las características de una civilización, no podemos confinar nuestra atención al estudio de los poderosos. Debemos conocer la situación del pueblo, sus formas de vida y sus creencias, la índole de las instituciones creadas por la sociedad, el desarrollo de la cultura y el sentido de la misma, es decir, el panorama completo de la vida y no las cimas que sobresalen.

Al estado llano de la historia corresponden en la ciudad las casas vulgares, que se apiñan unas a otras en formas expresivas, lo mismo que los monumentos singulares representan las personalidades dirigentes. Separar, por consiguiente, el palacio de las casas burguesas o de las populares, es como remover una frase de su contexto. Lo que hay que interpretar es la ciudad en su conjunto.

El llevar al estudio de las estructuras materiales que componen la faz o rostro de la ciudad un criterio puramente artístico, es lo que condujo a esta artificial escisión que destacó los edificios monumentales, o a lo sumo los barrios antiguos mas caracterizados, de la gran masa de la edificación de acompañamiento, que quedó en la sombra, olvidada, como algo inerte que carecía de expresión. Falta de expresión artística, tal vez, pero en ningún caso de expresión histórica. El enfocar, en cambio, el estudio de la ciudad desde su esencia histórica, operación que puede ser mucho más fecunda en resultados, nos evitará amputaciones injustificadas y una integral percepción del fenómeno urbano, cada vez más acuciante a la vista del desarrollo que va tomando en nuestros días el urbanismo.

Partiendo de la base firme de la realidad histórica de la ciudad, nada de lo que a ella se refiere, aun lo más insignificante, deja de ser revelador; todo constituye parte de una totalidad imposible de disociar. Lo que artísticamente puede resultar mudo, históricamente será, acaso, elocuentísimo. No hay que olvidar que la ciudad es por sí misma un formidable archivo de recuerdos. En la urbe se condensan, no sólo en el espacio, sino en el tiempo, los hechos y las vidas humanas más significativas. Este grado de condensación preserva su recuerdo, de la misma manera que un archivo, al reunir papeles que provienen de muy diversos orígenes, asegura su conservación. Es indudable que si todos aquellos acontecimientos y aquellas vidas no hubieran sucedido en la ciudad, no hubieran tenido su referencia a ella, su memoria habríase desvanecido mucho más fácilmente. Es la condensación de su propia salvaguardia.

Si deambulamos por París, podemos hallar el lugar donde Enrique IV fue asesinado; la elegante plaza donde vivía Richelieu, en un ambiente del París de los Mosqueteros; el pasamanos donde se posaba la mano de Voltaire; el ala del Louvre donde se reunió la Convención. Podemos seguir el itinerario de Bonaparte, casi niño, desde la diligencia que lo trajo a París hasta la Escuela Militar; el pequeño laboratorio donde empezaron a trabajar los esposos Curie, etc.

Una plaza de Madrid evoca todavía la sombra de Cisneros; en la Calle Mayor, aunque transformada, cada adoquín levanta el eco de las pisadas de Lope, de Tirso, de Calderón, de Villamediana; en la Casa de la Panadería, Goya, a los diecisiete años, sufrió los primeros reveses académicos; privado de ambiente, pero conservado como reliquia, un arco de ladrillo es el mudo testigo de hazañas patrióticas; al pasar por determinada calle céntrica parece sonar el estampido de los arcabuces criminales; en tal palacio, hace pocos años dejaba este mundo una emperatriz... Eso son las ciudades; escenario de la historia, la grande, la pequeña, la local, la nacional, la universal; los hombres vienen de muy diversas partes, de aldeas, de villorrios distantes; los acontecimientos se fraguan en el difuso mundo, pero siempre la ciudad es punto de convergencia, lugar de la acción, donde todos los procesos se comprimen, se esquematizan y aceleran; horno de combustión social. Queda luego el recuerdo, y la ciudad se convierte en archivo.

Al irse imponiendo, cada vez con más fuerza, la conciencia de que esto es así, la ciudad va reverdeciendo sus recuerdos y en algunos casos señalándolos al viandante por medio de lápidas. La lápida parece que va dirigida en primer lugar a honrar la memoria de algún héroe o personalidad sobresaliente. Pero este movimiento de ida supone otro de vuelta: al honrar hazañas, héroes o simples acontecimientos, lo que se hace es conmemorarlos, es decir, recordarlos en común, hacerlos material de autoconciencia colectiva. La lápida va dirigida tanto a exaltar la hazaña o al héroe como a buscar la satisfacción de los que la promueven y colocan. La ciudad que con más entusiasmo va lapidando sus muros es la ciudad que más gusto obtiene golpeando su dormida conciencia. Este tema merecería una extensión mayor que no cabe dados los límites a que ahora debemos sujetarnos. Pero baste decir que el afán lapidario coincide con el despertar de la conciencia histórica en el siglo XIX, con el vago presentimiento de que la ciudad es un archivo al que, a su modo, es necesario clasificar y poner etiquetas, que en este caso serían las lápidas.

Las lápidas revelan, pues, que esta conciencia existe, que algo de lo que es interior, el alma, sale a la superficie en forma de placas blancas, cristalizada expresión de una misteriosa química social. ¿Podríamos concebir ahora la ciudad sin esa conciencia histórica? O dicho de un modo más directo, ¿podríamos vivir sin ciudades que fueran, a la vez, laboratorio y archivo de ella? Sin duda, no. La civilización es difícil, casi imposible, concebirla sin ciudades, y las ciudades, sin estos atributos. Es cierto que existen y han existido aglomeraciones humanas que han carecido de ellos pero, como ya hemos insistido antes, esas aglomeraciones no son lo que a primera vista parecen, y aunque grandes, pueden no ser más que formas de ruralismo disfrazadas, o por otro lado escuetas conurbaciones industriales. La aldea pertenece todavía al medio natural; es naturaleza, sin más, como la ciudad es historia. El asentamiento industrial es prolongación de la fábrica y, como ella, simple instrumento de la producción. También se nos dirá que la ciudad en su fase de fundación carece, naturalmente, de historia; pero es que entonces no es todavía ciudad en un sentido plenario, no ha llegado a la edad adulta. Sólo en las ciudades antiguas el propio ritual sagrado de la fundación les conferiría aquellas virtudes que otras debían ir ganando poco a poco, en un lento proceso de maduración.

Cuando decimos, pues, que la civilización no la concebimos sin ciudades nos referimos a las que son de por sí un mundo completo y gozan de todos los atributos inherentes a su condición. Entre ellas y todo lo que no es ciudad se establecerán delicadas relaciones mutuas. Ésta es otra cuestión que ahora no importa a nuestro caso y que no empece el carácter decisivo –no exclusivo– de aquéllas en la construcción de la sociedad humana.

«La razón de que las ciudades sean decisivas en *toda* sociedad, hasta en las de predominio rural –ha dicho Julián Marías[16]– es que son el órgano de la socialización o, si se prefiere, de la sociabilidad. Una sociedad es sociedad y, sobre todo, es *una,* gracias a sus ciudades.» Las ciudades, pues, como tales, en plenitud de sus atributos, son insustituibles en nuestra sociedad. Puede vivirse fuera de ellas, pero siempre contando con ellas, con un apoyo y especial referencia en ellas. Incluso al hombre de la aldea más remota, y sin que se

dé clara cuenta de ello, puede llegar el consuelo de que existen Roma, París, Pekín o Filadelfia y que en ellas se guarda
un sagrado depósito de la humanidad. Porque *la ciudad es
una aglomeración humana fundada en un solar convertido
en patria y cuyas estructuras internas y externas se constituyen y desarrollan por obra de la historia, para satisfacer y expresar las aspiraciones de la vida colectiva, no sólo la que en
ellas transcurre, sino la de la humanidad en general.*

Lección 3
La ciudad antigua

Las primeras civilizaciones de la era histórica, pasadas ya las fases oscuras de la prehistoria y de la protohistoria, aparecen en los fértiles valles del Nilo, del Tigris, del Éufrates y del Indo. Una serie de grandes imperios se levantan, luchan entre sí por alcanzar una supremacía política y decaen cuando surgen otros que los sustituyen, pero dejando todos alguna contribución en el curso evolutivo del mundo civilizado. De estas culturas –egipcia, mesopotámica, indostánica– conocemos pocos restos de ciudades, ya que lo que ha permanecido han sido los gigantescos monumentos religiosos y sepulcrales, o a lo más, algunos palacios de monarcas divinizados.

En Egipto se encuentran restos interesantes de un grupo de habitaciones construido para alojar a los obreros que habían de levantar la pirámide de Sesostris II (1897-1879 a.C.). Es la ciudad de Illahun (actual Kahun), acaso el ejemplo más antiguo de organización residencial que conocemos. Tenía características bastante regulares, de acuerdo con un trazado geométrico que reunía las pequeñas viviendas en bloques rectangulares, separados por calles muy estrechas que tenían por objeto facilitar el acceso a las diversas células y a la vez servir como atarjeas para la evacuación de las aguas plu-

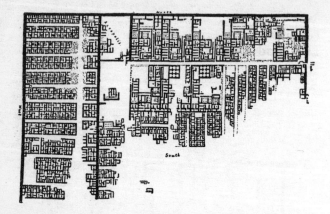

Fig. 1. Kahun. Plano. (Egli, *Die neue stadt...*)

viales y sucias. Las pequeñas casas o células estaban cons-
tituidas por unas minúsculas habitaciones en torno a un
patio cerrado. Las había de diversos tamaños, sin duda de
acuerdo con la jerarquía de los ocupantes. El conjunto de
la ciudad formaba un rectángulo cerrado entre tapias y
protegido por un foso. La vida debía hacerse en estos mi-
núsculos patios y terrazas, a las que se subía por escaleras
cuyo emplazamiento ha podido identificarse. La construcción no podía ser más pobre: adobe y terrazas hechas
de madera y caña amasadas con barro. Más importante es
la ciudad de Tell-el-Amarna fundada por Amenophis IV
(1369-1354 a.C.), el famoso faraón que impuso el culto solar. Presenta también un trazado rectilíneo y casas acomodadas construidas en piedra. De todas maneras las ciudades regulares debían ser una excepción circunscrita a
aquellas construidas *ex novo*.

En cambio, son numerosos los restos de grandes construcciones religiosas que venían a formar verdaderas ciuda-
des-templo, con monumentales avenidas, colosales plazas e

inmensas salas hipóstilas, testimonio de la vida de los reyes, nobles y sacerdotes, en Menfis, Tebas y Tell-el-Amarna. En estos grandes santuarios se sigue una estricta coordinación de las partes con un riguroso criterio geométrico, pero también con un deseo de adaptación al terreno y con una pretensión de efecto escenográfico que preludia, en el alborear de la historia, lo que serán al correr de los tiempos las grandes composiciones urbanas.

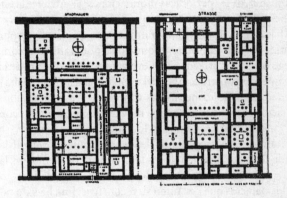

Fig. 2. Kahun. Dos plantas de casas importantes. (Egli, *op. cit.*)

En Mesopotamia surge también una serie de ciudades a lo largo de los ríos Tigris y Éufrates, que cuando son adoptadas por los reyes como corte o residencia suelen adquirir un gran esplendor. Una de las características de estas ciudades mesopotámicas es la de sus fortificaciones, que tienen mucha más importancia que en Egipto, ya que el imperio faraónico, por su fortaleza y por su situación geográfica aislada, no estaba a merced del enemigo, como los imperios mesopotámicos.

Uno de los ejemplos más claros de urbanización asiria que nos quedan es la ciudad de Korssabad, creada por Sargón II

como ciudad imperial al abandonar la vieja capital de Níni-
ve. En realidad, más que restos de ciudad, lo que nos queda
son los del palacio del emperador, que constituyen un complejo palacio-templo, propio de estos imperios divinizados.
El palacio está situado, como era corriente en estas ciudades
asirias, en un extremo de la ciudad y sobre los muros de la
misma, en una gran plataforma elevada, con objeto de mejorar las condiciones de defensa militar y para protegerse,
asimismo, de las periódicas inundaciones. Se advierte la tendencia a crear acrópolis religioso-palatinas, que en un terreno llano como el de Mesopotamia tienen que elevarse sobre
plataformas artificiales, ya que no se podía utilizar, como
luego harán los griegos, el relieve natural. A la sombra de las
gigantescas construcciones del templo-palacio, se apiñaba la
ciudad, en condiciones físicas y morales de evidente subor-
dinación. La vivienda no sería muy diferente, ya que las condiciones climáticas tampoco lo eran, a las que hemos visto
en Kahun. En Mesopotamia, la construcción, no sólo de las
ciudades, sino también de los templos, era de elementos la-
tericios, adobe y ladrillo cocido, y si nos han quedado restos
de los palacios que permiten su reconstrucción, ha sido por
la mayor solidez y riqueza constructiva, pero no por una diferencia sustancial de materiales, como sucede en Egipto.
Según Bemis y Buchard[1], un artesano especializado en Su-
meria podía obtener su casa por el 5 o 6 por ciento de su
renta, pero las casuchas de los obreros no especializados
les suponían tanto como el 30 o 40 por ciento de sus ingresos. Estos datos sólo los conozco por una cita y, por consiguiente, no puedo saber en qué se han basado estos autores
para llegar a una determinación tan concreta de algo que
incluso es muy difícil saber cuando se trata de un pasado
histórico reciente. En suma, me parece una ingenuidad del
pensamiento americano tratando de «actualizar» la historia remota y de asimilarla peligrosamente a los problemas
de hoy.

En el siglo VI a.C., Babilonia era una gran ciudad, atravesada por el río Éufrates y bien guarnecida por lienzos rectilíneos de fuertes murallas, defendidas a su vez por un foso. En un principio debió ser una ciudad de calles irregulares y tortuosas, pero cuando fue engrandeciéndose, a medida que los emperadores iban elevando nuevas y suntuosas construcciones (los palacios de Nabucodonosor, con sus fabulosos jardines colgantes), se trazaron nuevas vías, como la gran avenida procesional, que enlazaba la principal puerta monumental (la puerta de Ishtar) con los palacios y los templos. (Esta puerta está hoy reconstruida en el Museo de Berlín.) Con esto adquirió la ciudad el aspecto monumental con que nos la describe Herodoto, quien con evidente deseo de asombrar a los griegos exageró una realidad que las excavaciones de Koldewey han reducido a sus verdaderos términos.

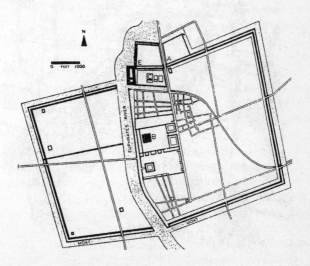

Fig. 3. Babilonia. Plano de la ciudad. (Gallion, *The Urban Pattern.*)

Una ciudad del tamaño de Babilonia debía ser casi incomprensible para la mentalidad griega, ya que el mismo Aristóteles nos dice que no es una ciudad todo aquello que puede encerrarse dentro de unos muros, porque, a querer, se podría construir un muro todo alrededor del Peloponeso. Tal sucede, dice Aristóteles, en aquellas cuya circunscripción encierra más bien una nación que una ciudad, como Babilonia, de la que se dice que a los tres días de tomada una parte de la ciudad, otra no se había dado cuenta de nada.

Fig. 4. Babilonia. Puerta de Isthar. (Dib. del autor.)

En el valle del Indo se han realizado recientemente excavaciones. En la ciudad de Mohenjo-Daro (se desconoce el nombre antiguo) se ha revelado la existencia de una ciudad bastante floreciente que pertenece al año 3000 a.C. y que presenta tres calles principales, en la dirección norte-sur, y otra perpendicular a ellas que cortan un complejo de pequeñas callejuelas, posiblemente núcleos más primitivos. En las partes excavadas los edificios más importantes que han aparecido han sido un monasterio y un baño público. Revela esta ciudad una civilización bastante floreciente, dados los restos de las casas, construidas de ladrillo y adobe, y lo que queda de calles pavimentadas, con albañales de evacuación de aguas.

Un carácter completamente diferente de las ciudades que hemos visto en estos grandes imperios orientales presentan las de la civilización minoico-micénica que floreció en el mar Egeo antes de las invasiones dorias. En primer lugar, estas ciudades presentan un trazado mucho más irregular, faltando completamente las grandes avenidas o las composiciones geométricas que veíamos en las ciudades de la llanura. La explicación evidente reside en que las ciudades del Egeo se construyeron en lugares mucho más accidentados y era necesario replegarse a la topografía del terreno.

Las ciudades cretenses no tienen fortificaciones, ya que su propia situación insular las defiende de posibles asedios. En cambio, las del Peloponeso, como Micenas y Tirinto, estaban protegidas por fuertes muros, cuyos restos se conservan todavía. La famosa Puerta de los Leones, de Micenas, es una de las entradas del recinto murado. En estas ciudades, la vida doméstica parecía estar mucho más desarrollada, lo que indica una civilización más elevada y más libre que la de Oriente. La casa es más compleja y confortable, estableciéndose en torno a una habitación principal llamada el *megarón,* una parte del cual solía tener el techo abierto para su iluminación y con una cisterna debajo para recoger las aguas pluviales, precedente de lo que luego será el *implu-*

vium de la casa romana. Por la disposición del palacio del rey, en medio de la ciudad, en general contiguo a una plaza, parece que éste reunía a la vez la función de centro de la vida comunal. No se trata, pues, de aquellos palacios, como los de Mesopotamia, que aparecen completamente aislados en una eminencia inaccesible para el pueblo. Los reyes de estas ciudades-estado del mar Egeo no tenían el carácter divino de los autócratas orientales y gobernaban sobre comunidades en cierto modo libres. Esto se transparenta incluso en la estructura de las ciudades, como acabamos de ver.

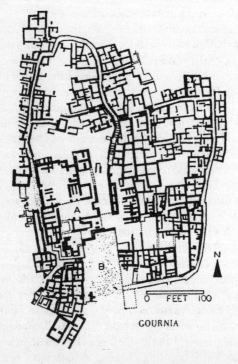

Fig. 5. Gurnia. Plano. (Gallion, *op. cit.*)

Nos quedan restos interesantes en la ciudad de Cnossos, principalmente su magnífico palacio, excavado por Evans; de las de Palaikastro y Gurnia en Creta; y de Tirinto y Micenas, en la península griega.

Los primitivos centros habitados de la civilización helénica debieron preocuparse menos de la regularidad y de los principios estéticos que de las necesidades de la defensa y de las facilidades del comercio. Fueron, por consiguiente, pequeños núcleos que al correr del tiempo se comprimieron irregularmente, con independencia de toda idea de conjunto. Esta misma irregularidad vemos en los grandes santuarios de Delfos, de Olimpia y de Delos, donde en torno al núcleo de la Divinidad se agrupaban, en forma caprichosa, habitaciones de los sacerdotes, tesoros para la custodia de las ofrendas, habitaciones para peregrinos, etc.

Con el desarrollo de la democracia en las ciudades-estado de Grecia, aparecen en ellas nuevos elementos urbanísticos, que indican una colaboración mucho más estrecha del pueblo en los asuntos de la comunidad. Aparte de los templos, que representaban para los griegos la culminación de su mundo espiritual y el orgullo mayor de su creación artística, surgen en la ciudad diversos edificios dedicados al bien público y al desarrollo de la democracia. Generalmente estos edificios se situaban en torno al ágora o plaza pública, que en principio albergaba el mercado y que luego vino a constituir el verdadero centro político de la ciudad. En torno a este ágora se construía el *ecclesiasterón* (sala para asambleas públicas), el *bouleutérion* (sala para asambleas municipales), el *prytaneion* (donde se reunía la cámara municipal). Generalmente estaba situada también la *stoa,* construcción alargada, que cerraba a veces uno de los costados del ágora, formada por pórticos de una o dos plantas que servían para la vida de relación y para el comercio. Aparte de estos elementos político-administrativo-económicos que formaban el núcleo de la ciudad, constituyendo lo que hoy llamaríamos un centro cívico, tenemos también otro factor importante dentro de la ciudad griega, que es el que correspondía a las diversiones y que dio lugar a la construcción de teatros al aire libre y estadios para los juegos olímpicos.

Como se desprende de todos estos hechos, la ciudad había pasado de ser el amasijo de viviendas humildes dominadas por el palacio-templo de un rey divinizado para convertirse en una estructura más compleja en la que dominaban aquellos elementos que eran del disfrute general: plazas, mercados, pórticos, edificios de la administración pública, teatros, estadios, etc. En cambio, como es lógico, no aparece en las ciudades de la democracia griega, dada su constitución política, ningún palacio abrumador que represente el poder o la autoridad de un jefe. Demóstenes, refiriéndose a los gloriosos días antiguos, dice que en la vida privada era tan ejemplar la moderación de los grandes, su apego a las viejas costumbres tan exacto y escrupuloso, que si cualquiera de vosotros descubriera la casa de Arístides o de Milcíades, o de cualquiera de los ilustres hombres de aquellos tiempos, se daría cuenta de que ni el más mínimo esplendor la distinguía de las demás.

Era lógico esperar que en el ambiente filosófico de Grecia, que legó al mundo las bases del raciocinio moderno y el nacimiento de la idea, de la teoría, como fundamento del mismo, surgiera también una teoría racional de la ciudad como una organización ideal que resolviera las deficiencias de la ciudad natural o histórica que se había creado a través de los años. El hombre que llevó a cabo esta tarea fue un griego natural de Mileto, llamado Hippodamos, al que podemos considerar como el primer urbanista con criterio científico riguroso que ha conocido el mundo. Aristóteles le atribuye el mérito de habernos dejado la teoría y de haber puesto en práctica la doctrina de una lógica distribución de la ciudad. En general, se le asigna la creación de la ciudad en cuadrícula, aunque, como hemos visto, existía ya en las civilizaciones indostánicas, egipcias y mesopotámicas, y parece ser que también se reconstruyeron algunas ciudades griegas en el siglo VI, después de las luchas con los persas, con este mismo criterio de calles rectas cortándose en ángulos de 90 grados. Aparte de esto, las empresas colonizadoras de los griegos les llevaron sin duda a la aceptación de este sistema de trazado urbano tan obvio cuando las ciudades se plantean *ex novo*. «Los helenos –dice García Bellido– tuvieron entonces que planear gran número de colonias que, por nacer *de nihilo*, podían concebirse libres de todo atadero fuese este histórico, fuese topográfico, pues los *oikístai*, o fundadores, podían elegir a su placer el emplazamiento más adecuado para la nueva ciudad, ya previamente concebida y trazada»[2].

Entre estas ciudades podemos citar Selinonte, muy transformada, y Mainaké, citada por Estrabón, que, situada en las cercanías de Málaga, debió ser destruida por los cartagineses.

Sin embargo, Hippodamos impuso vigorosamente sus teorías y las desarrolló hasta un punto que indudablemente no había sido alcanzado. A él se atribuye el mérito de haber dado los planos del Pireo y de Rodas; de haber escrito algunos tratados de arquitectura y de geometría, y de ser un artista y un filósofo al mismo tiempo. Parece ser que Pericles le tenía entre sus amigos, y debía gozar de mucho crédito en su época, aunque sus ideas, a veces utópicas, le granjearan algunas críticas irónicas, como la que Aristófanes hace en su comedia *Los pájaros*. De las ciudades construidas por Hippodamos no nos queda ninguna, por haber desaparecido, como Turrium, o por haberse transformado profundamente, como el Pireo y Rodas[3]. Sin embargo, nos quedan restos de otras ciudades que sin ser obra directa suya fueron inspiradas en sus principios y se cuentan entre los ejemplos más excelentes de urbanística que nos ha legado la humanidad. En primer lugar tenemos Mileto, la propia patria de Hippodamos. Mileto había sido destruida por los persas el año 494 a.C. y hubo que reedificarla pocos años después, hacia el 475. No se tienen noticias seguras de la participación de

Hippodamos en esta reconstrucción, pero entra muy en lo
probable. Si el arquitecto-urbanista nació, como se supone,
hacia el año 500, tendría cuando se reconstruía la ciudad de
veinticinco a treinta años. Pudo ser una de sus primeras ta-
reas o donde él se iniciara.

En Mileto el trazado ortogonal se adapta bien al contorno
sinuoso del promontorio que penetra en el mar donde se
asienta la ciudad, que consta de dos partes, una de cuadrícula menor en la parte más estrecha y otra mayor en la base de
la península. En medio, como soldándolos, está el ágora o
conjunto de edificios representativos, y el gran espacio del
famoso mercado. Es una composición arquitectónica muy
sabia y contrastada, en la que las plazas se encadenan con sutil lógica rompiendo la monotonía de la cuadrícula. Los
griegos fueron siempre unos artistas de exquisita sensibili-
dad que nunca se dejaron llevar de los excesos del rigor cuadricular como lo hicieron luego los romanos. En sus ciudades ortogonales, sean Mileto, Prienne, Cnido y tantas otras,
encontramos siempre estos centros urbanos –hoy los llamaríamos centros cívicos– trazados siempre con gran sentido
del espacio y de la composición.

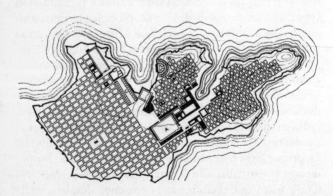

Fig. 6. Mileto. Plano general. (Gallion, *op. cit.*)

En el siglo IV una de las ciudades hippodámicas más interesantes es la de Olynto, en Macedonia, fundada en 432 y
destruida en 347. Corresponde, pues, a la transición entre
finales del siglo V y comienzos del IV a.C. Las excavaciones
indican una ciudad doble, con una parte antigua e irregular y otra parte moderna construida con un plan hippodá-
mico, muy estricto. Las calles principales seguían la dirección norte-sur y estaban separadas entre sí unos cien
metros y conectadas en la dirección este-oeste por unas calles algo más estrechas, separadas entre sí unos cuarenta
metros. De esta manera se podía lograr exposición al mediodía para las viviendas que componían las manzanas así
trazadas.

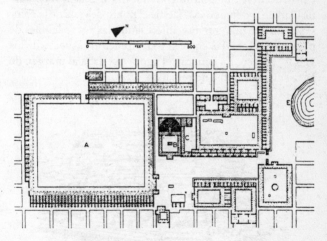

Fig. 7. Mileto. Ágora. (Gallion, *op. cit.*)

La casa griega, resuelta en torno a un patio, recibía por
éste los beneficios del soleamiento. En Olynto, el patio se co-
locaba siempre en la fachada sur del bloque, aunque la entrada a la casa estuviera por otro lado. Así, el sol podía penetrar

en invierno hasta el fondo de la habitación principal, que solía estar detrás de un pórtico, y en cambio en verano, cuando
el sol estaba más alto, este pórtico defendía a la casa de sus
rigores.

Entre las ciudades griegas y greco-helenísticas más interesantes urbanísticamente, además de Mileto y Olynto, tenemos Prienne, Cnido, Pérgamo, Éfeso, Magnesia, Gerasa, todas en Asia Menor. En todas ellas se recogen las enseñanzas
de Hippodamo, solemnizándose los trazados por medio de
calles con columnas y soberbias plazas. En muchas se advierte la opulencia alcanzada por los pequeños reinos hele-
nísticos y el deseo de los príncipes por impresionar con sus
construcciones: un sentimiento nuevo con relación a la aus-
teridad de la democracia. Desde el punto de vista de la composición urbana, son muy interesantes las agrupaciones de
plazas relacionadas entre sí y su situación respecto de las
vías de tráfico. En general, el ágora quedaba al margen de
la circulación, como un remanso.

Fig. 8. Prienne. (Dib. del autor.)

Durante la época helenística, una de las cosas que más llama la atención es la abundancia de nuevas ciudades, que surgen desde la Cirenaica hasta el Indo. A más de Atenas, los principales centros de cultura son Rodas, Pérgamo, Antioquía y, sobre todo, Alejandría.

Gracias a las conquistas de Alejandro y a la desaparición de la amenaza persa, la cultura griega pudo expandirse por todo el Oriente. Sin embargo, no llegó a ser una cultura greco-oriental, porque permaneció casi exclusivamente griega, sin llegar a penetrar en las capas profundas de la sociedad ni en el agro. Fue una cultura evidentemente urbana y cosmopolita. De aquí la importancia que tienen las ciudades en el mundo helenístico. Su florecimiento era debido principalmente a la munificencia de los príncipes y también de los ciudadanos ricos, que sufragaban a su costa juegos y fiestas públicas y donaban monumentos con los que, a la vez que realizaban una empresa patriótica, aseguraban la perduración de sus nombres. Esta costumbre continuó durante el período del dominio romano, como ha estudiado Rostovtzeff en su admirable libro *Historia social y económica del Imperio romano*.

Las ciudades helenísticas prosperaron especialmente porque la economía de estos países estaba fundada en sistemas capitalistas, tanto por lo que se refiere a la agricultura como al comercio y a la industria. Sabido es que el desarrollo urbano corre casi siempre parejo con los métodos capitalistas, y que, en cambio, los regímenes no capitalistas son en general de raíz más campesina.

Los miembros de la antigua y nueva aristocracia de Roma e Italia, que en su mayor parte habían hecho su fortuna en Oriente y se habían familiarizado con el sistema capitalista allí imperante, trasladaron sus prácticas a la propia Italia, e incluso se aprovecharon de esclavos y trabajadores que emigraban de Oriente y que habían sido los que posibilitaron la explotación científica de los recursos del mundo helenístico.

Con esto, la civilización campesina romana se convirtió en una civilización urbana, y a la clase de terratenientes se sumaron los negociantes y los burgueses de las ciudades.

El desarrollo del urbanismo en Roma fue un fenómeno gradual ininterrumpido. La vida urbana fue fomentada por todos los emperadores del siglo I d. C., principalmente por Augusto y Claudio. Precisamente en el orden urbano, en las aristocracias municipales, en la rica burguesía de las ciudades, se había cimentado el triunfo de Augusto y la posibilidad de la *Pax Augusta,* que permitió la reconstrucción del Imperio. Frente al antiguo senado republicano, constituido por familias de alcurnia, que podían ser una amenaza para el nuevo sistema imperial, el emperador debía buscar su apoyo en otras clases dirigentes de nuevo cuño: funcionarismo del Estado, ejército, burguesía municipal, etc. Éstas eran fundamentalmente clases urbanas. Los primeros emperadores tuvieron dificultades para otorgar a nuevas gentes la ciudadanía romana, cuyos privilegios defendían las aristocracias italianas; pero en cambio eran muy dueños de fundar nuevas ciudades por todo el Imperio donde hacer prosperar una clase urbana dirigente que les sirviera de apoyo. Esta evolución siguió durante el reinado de los Flavios y de los Antoninos, adquiriendo con estos últimos el máximo esplendor. Durante la época de los Antoninos el Imperio se universaliza de una manera plena, y ya no son únicamente ciudadanos romanos los que lo eran por origen, sino todos aquellos que destacaban por su valor y capacidad en cualquiera de las provincias del Imperio. La civilización progresiva de todas las provincias y el profundo desarrollo de su vida habían traído esta consecuencia natural.

La mayoría de las nuevas ciudades surgió, bien como desarrollo de antiguas aldeas o poblados indígenas, bien como consolidación de antiguos campamentos militares y colonias de veteranos, bien como ampliación de ciertas grandes propiedades rústicas, muchas veces de los mismos emperadores.

Según Rostovtzeff, el Imperio romano era un agregado de ciudades griegas, itálicas y provinciales, habitadas estas últimas por naturales, más o menos helenizados o romanizados, de la ciudad correspondiente. Cada ciudad tenía un área rural más o menos extensa, que era su territorio. Era el territorio de un antiguo estado-ciudad griego o romano.

Cada ciudad tenía su gobierno autónomo, su vida política local. La burocracia imperial sólo muy raras veces se mezclaba en los asuntos locales de las ciudades. Se ocupaba de la recaudación de los impuestos, pero por intermedio de las mismas organizaciones municipales.

El Imperio romano del siglo II fue así una curiosa mezcla de federación de ciudades autónomas y una monarquía casi absoluta, sobrepuesta a tal federación y con el monarca como magistrado supremo legal de la ciudad soberana[4].

Desde el punto de vista urbanístico, las ciudades del Imperio romano fueron herederas de las helenísticas, de las que tomaron todos sus refinamientos técnicos: alcantarillado, traída de aguas, agua corriente, baños, pavimentos, servicios de incendios, mercados, etc. Las había, como es natural, de muchas clases, según su evolución histórica, condiciones de suelo, clima y características locales. Las había comerciales e industriales, como en realidad lo eran las más importantes (Roma, Alejandría, Antioquía, Éfeso, Cartago, Lyon, etc.); ciudades caravaneras como las que establecían el comercio con el Oriente (Palmira, Petra, Bosra); había ciudades que eran cabezas provinciales o de departamentos agrícolas (Verona, Siracusa, Tréveris, Londres, Tarragona, Córdoba, Mérida, Timgad, Cirene, Rodas, Esmirna, Pérgamo, Mileto, Tiro, Sidón, Gerasa, etc.).

En cuanto a su trazado, o era desarrollo de poblados indígenas, como nuestra Numancia, que luego fueron ampliados y magnificados, o eran ciudades helenísticas romanizadas que habían continuado la tradición hippodámica, o eran ciudades de nueva implantación, como las que provenían de antiguos campamentos militares, como León y Timgad.

La aportación más original al trazado de ciudades es precisamente aquella que debe su origen a los campamentos militares. Los romanos eran un pueblo eminentemente práctico y organizador, que buscaba las soluciones simples y claras que han preferido siempre las grandes empresas coloniales. Carecía del refinamiento artístico de los helenos y eran más ingenieros que arquitectos. Cuando utilizaban los recursos del arte, lo hacían con el propósito de impresionar más por la majestad y el poder que por la emoción estética. Los romanos, o buscaban los trazados regulares geométricos, o, cuando esto no era posible, incluían en las ciudades organizaciones urbanístico-arquitectónicas de gran esplendor, que por sí mismas constituían la parte más impresionante y majestuosa de la ciudad. El ejemplo más eminente de esto último lo constituía Roma, una ciudad cuya monumentalidad no ha sido superada jamás. Estos enclaves monumentales, rigurosamente geo-

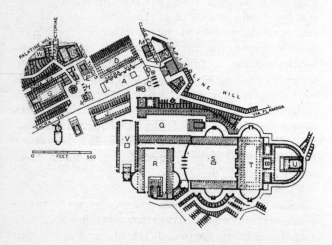

Fig. 9. Roma. Foros. (Gallion, *op. cit.*)

métricos, dentro de la estructura irregular de la ciudad, los constituían en primer lugar los foros, que, desde el Foro Romano al Foro Trajano, fueron aumentando en dimensiones y esplendidez. Luego los palacios, los templos, las termas, los anfiteatros y los circos fueron por sí mismos verdaderas composiciones urbanísticas que, ensambladas un tanto caprichosamente entre sí, formaban el grandioso conjunto.

La administración de la ciudad de Roma suponía una pesada carga para el Estado, que tenía la obligación de engrandecerla para hacerla digna de su papel de cabeza del mundo y de sufragar su mantenimiento. Los juegos y fiestas públicas suponían también un enorme desembolso, pero el *panem e circensis* era algo que no podían descuidar los emperadores si querían gobernar en paz. No se puede olvidar que el gobierno imperial estaba vinculado a la ciudad de Roma, que había venido a ser una antigua ciudad-estado que dominaba al mundo. Del ánimo que reinara en ella dependía, pues, la salud de todo el sistema imperial.

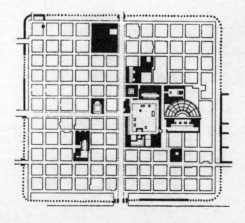

Fig. 10. Timgad. Plano. (Gallion, *op. cit.*)

Las ciudades de origen militar eran las más regulares, y entre ellas acaso el mejor ejemplo que conservamos sea la ciudad de Timgad, en Numidia (Argelia), una antigua colonia militar de Trajano. Estas ciudades formaban un perímetro rectangular, rodeado generalmente de murallas; el recinto estaba cortado interiormente por dos grandes ejes o calles principales (a veces portificadas), que se llamaban el *cardo* (brazo N.-S.) y el *decumanus* (brazo E.-O.). En el encuentro de éstas solía estar el foro, y en su torno los templos, la curia y la basílica. El resto de las manzanas solía ser perfectamente regular, como consecuencia de la distribución de las calles del antiguo campamento. Su trazado, un tanto seco, era el de todas las ciudades coloniales, donde domina el sentido práctico y organizador sobre todo otro imperativo espiritual o estético.

Existían también otras ciudades, como Pompeya, que, sin ser estrictamente geométricas, eran bastante regulares, y otras como Palestrina (en el Lacio), y en general las de origen helenístico, que destacaban por la belleza de su organización más pintoresca y de sus monumentos.

Fig. 11. Pompeya. Plano. (Dib. del autor.)

En España, un caso notable de recinto regular era el de
León (Campamento de la VII Legio Gémina), que aún hoy
puede advertirse por la línea de murallas, en su mayor parte
medievales. El rectángulo legionense medía 570 por 380 metros.

Muy pocos son los vestigios que conservamos en España
de la urbanística romana. En la Calle Mayor de Tarragona, la
Colonia Julia Victrix Triumphalis Tarraco, se reconoce la antigua *via decumana* y perpendicularmente la *via cardo* con
los restos del foro y del palacio de Augusto, posiblemente un
pretorio, del que nos queda un muro de sillería con pilastras
resaltadas y una construcción abovedada.

Sin disputa, la ciudad más suntuosa de la península y posiblemente la más importante de todas fue la Colonia Augusta Emérita (Mérida). Fue capital de la provincia lusitana,
fundada por Augusto el año 25 a. C. para instalar a los emé-
ritas veteranos de las guerras cántabras. En el siglo IV, dice
Ausonio que ocupaba el undécimo lugar en importancia entre las ciudades del Imperio, después de Roma, Constanti-
nopla, Cartago, Antioquía, Alejandría, Tréveris, Milán, Ca-
pua, Aquilea y Arlés. Tuvo en su fundación planta cuadrada
y sufrió luego ampliaciones, llegando a ocupar un rectángulo de 9.400 por 350 metros. Las calles debían ser bastante regulares, como lo indica la red de cloacas. En varias partes se
conservan restos bien pavimentados y con aceras enlosadas
con grandes piezas. Pueden reconocerse los trazados del
cardo y *decumanus.*

Lo mismo que en Itálica, han aparecido pórticos en Bolonia (Cádiz) (Baelo). Están en el *cardo maximus,* a ambos lados, y tienen 2,40 metros de anchura. Recias columnas dóri-
cas sostenían el entablamento y se apoyaban en dados de
piedra o en un murete corrido. De la ciudad romana de Am-
purias, que aprovechó el trazado de las calles griegas, conocemos el *cardo maximus,* empedrado y con pórtico a un
lado. En Augustóbriga también hay restos de calles portica-

das. He aquí, pues, la ascendencia lejana de la calle porticada española.

Pocos rasgos urbanísticos hallamos en Córdoba, Colonia Patricia Corduba, capital de la Bética, que debió competir en importancia con Mérida. Poquísimos en la que fue populosa Clunia, capital de convento jurídico en Peñalba de Castro, partido de Aranda de Duero, que midió 36 hectáreas de extensión. En Itálica, Colonia Elia Augusta Itálica (fundada el 206 a. C., y, por tanto, la colonia más antigua), se conocen cinco calles paralelas, el *decumanus* (con indicios de que tuvo pórticos) y otras calles menores.

Lección 4
La ciudad islámica

Durante el segundo cuarto del siglo VII, Mahoma, el «último» de los profetas, levantó en los desiertos de Arabia un movimiento confesional de tal fuerza expansiva que arrolló a su empuje todo el Oriente mediterráneo hasta la India, todo el norte de África, Sicilia y Cerdeña y casi toda la península Ibérica. Más de la mitad del Imperio romano de Justiniano cayó en sus manos. En su conjunto, la extensión del Islam durante su apogeo (siglos VIII, IX y X) superaba, gracias a su enorme desarrollo por Oriente, al Imperio romano en los días de su mayor esplendor.

«En el cuadro de la historia general de la civilización se puede considerar la cultura de los países islámicos como resultado de una revancha general del Oriente no helenizado. Sus primeros grandes centros se encuentran en las fronteras orientales del antiguo mundo helenístico: Damasco, Fustat (El Cairo), Samarra y Bagdad. Un poco más tarde se sitúan en Persia y en Transoxania, mientras que al extremo confín del Occidente, Marruecos y Córdoba pertenecen al mismo mundo espiritual»[1].

La velocidad de irradiación del Islam le obliga a adaptarse a la cultura de los países que encuentra a su paso y absorbe.

No crea, pues, elementos culturales nuevos ni formas artísticas propias. Todo lo asimila y lo adapta, porque lo que sí es
el Islam es una nueva concepción de la vida, impuesta por
una religión rigorista y poco flexible y por una teocracia puritana.

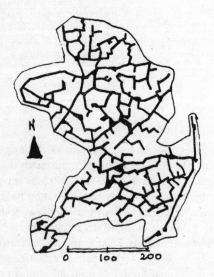

Fig. 12. Fustat (El Cairo). (Dib. del autor.)

Los árabes apenas crean en un principio grandes ciudades, ya que avanzan por los territorios más urbanizados de
la cuenca mediterránea. Damasco, Antioquía, Tesifón, Jeru-
salén, Alejandría, son fácil presa suya. Más adelante fundaron, sin embargo, importantes ciudades puramente islámicas,
como Bagdad (750), Kairuan (670), Bucaría, Samarcanda, El
Cairo (969), Fez (siglo IX), Marrakech (siglo IX), etc.

Lo que distingue a las ciudades de la civilización islámica
es su semejanza, desde el Atlántico al golfo Pérsico. En ninguna otra cultura se encuentra semejanza parecida. Las ciu-

dades griegas y romanas, como hemos visto, eran muy diferentes entre sí. Las había regulares, como las hippodámicas, y otras cuya configuración era consecuencia del azar histórico, de una especial topografía, o de ambas cosas a la vez. Lo mismo puede decirse de las ciudades occidentales durante la Edad Media y los tiempos modernos. Esta similitud resulta todavía más extraña porque los árabes heredaron de golpe ciudades muy diferentes a las que tuvieron que adaptarse, y porque ellos, además, no tenían una cultura propia que sustituyera a las pasadas.

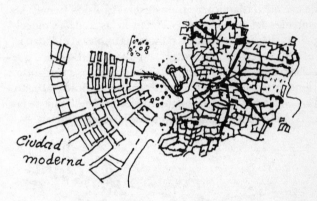

Fig. 13. Samarcanda. Plano. (Dib. del autor.)

Sin embargo, es posible que esta misma falta de cultura diese lugar a un predominio de las fuerzas instintivas, que de una manera, por decirlo así, biológica y ciega se imponía a las estructuras racionales que habían dejado los demás pueblos.

En lo que se refiere a las ciudades, notamos a la llegada del Islam un visible empobrecimiento con relación a los complejos urbanos del mundo helenístico y de Roma. La ciudad islámica es funcional y formalmente un organismo más sim-

ple y tosco. Mahoma había lanzado a sus adeptos, a los islámicos, es decir, a los sometidos totalmente a su ley (esto
quiere decir Islam), con un bagaje muy pobre para conquis-
tar un mundo. Quién sabe si la simplicidad del instrumento
fue la base de su eficacia. Filosofía, moral, política, legislación, todo quedaba reducido al Corán.

Cuando Idris II se disponía a fundar Fez le dijo a un viejo
ermitaño que quería construir una ciudad donde se adorara
al Dios Supremo, donde se leyera su libro y sus leyes fueran
cumplidas. En tan simple propósito se encierra el programa
de la ciudad islámica. Se trata de una regresión frente a las
ciudades del mundo clásico. Faltan en las ciudades musulmanas el ágora, los locales para las asambleas ciudadanas,
los circos, teatros, anfiteatros, estadios, etc. Lo único que
conservaron fueron las termas, convirtiéndolas en organizaciones más modestas y más estrictamente dedicadas al baño.
Pero al fin y al cabo los baños siguieron siendo una de las
más importantes manifestaciones de la relación social.

Fig. 14. Rabat. Puerta de la Kasba de los Udayas. (Dib. del autor.)

En cambio existe un elemento primordial de la ciudad
musulmana que es la puerta. Todas las ciudades de la Edad

Media, por el hecho de estar amuralladas, tenían puertas, algunas muy importantes, pero en ningún caso alcanzaron el carácter decisivo que tienen las puertas en la estructura de la ciudad musulmana. Las puertas, además de un valor simbólico preponderante, lo tenían también funcional. No se trataba en muchos casos de simples puertas, sino de verdaderos organismos arquitectónicos, a veces de gran complejidad. La puerta solía ser doble; una primera daba paso a un amplio espacio como patio de armas. Atravesando este patio se llegaba a la segunda puerta, que por fin daba entrada a la medina. Las complejas puertas en recodo eran por sí mismas monumentales y de gran desahogo. La puerta es como el gigantesco vestíbulo de la ciudad, donde se recibe al visitante.

La puerta es como un gozne entre el espacio exterior y el interior de la ciudad. Muchas veces en la inmediación de las puertas es donde se establecen los zocos y mercados, constituyendo las llamadas plazas del arrabal. La Plaza Mayor de Madrid fue la plaza exterior (plaza del arrabal) junto a la Puerta de Guadalajara. La plaza de armas o patio entre las dos puertas suele, hasta cierto punto, hacer las veces del ágora o plaza pública. Todavía podemos ver hoy este fenómeno en la Bab-Segma de Fez, en cuyo patio se apiña la multitud para contemplar a los encantadores de serpientes, para oír a los recitadores de cuentos e historias, a los músicos y cantantes.

De todas maneras, el aspecto de la ciudad musulmana es mucho más indiferenciado que el de la ciudad clásica y el de la ciudad moderna. Una ciudad cuanto más compleja es funcionalmente, más diferenciada resulta en sus estructuras. De aquí la monotonía de las orientales, en esto herederas de las urbes prehelénicas. El mundo islámico recoge buena parte de la herencia del mundo primitivo oriental, de las ciudades egipcias y mesopotámicas. Si conociéramos mejor éstas, podríamos establecer más fácilmente cuál ha sido el precedente y la génesis de las del Islam, que hoy nos parecen insólitas.

Sin embargo, no cabe duda que tomando los elementos que tomaran de las ciudades orientales preexistentes, los mahometanos las transforman, las «usan» a su manera, asimilándolas. La capacidad digestiva del musulmán es, en este aspecto, asombrosa. Por eso, porque han deshecho, rehecho y vuelto a deshacer tantas veces sus ciudades han acabado por convertirlas en una especie de magma urbano que no se parece en nada al de otras civilizaciones.

Hemos visto en la introducción cómo la ciudad musulmana se opone al campo, asemejándose en esto a la ciudad clásica y separándose de la ciudad anglosajona, que convive mucho más estrechamente con el entorno natural circundante. En alguna manera se puede decir que todavía es más honda la dicotomía campo-ciudad en el Islam que en cualquier otra cultura.

Esto nos hace pensar en la famosa interpretación dinámica de la historia de Abenjaldum, que coincide como anillo al dedo con la teoría de la ciudad que aquí sustentamos. Para el penetrante filósofo, la aparente baraúnda de los acontecimientos africanos se reduce a uno solo: la coexistencia de dos modos de vida, la vida nómada y la vida sedentaria. Ambos modos son irreductibles entre sí y viven en perpetua lucha. El nómada es el campesino, el hombre del desierto; el sedentario es el ciudadano.

Seguiremos el pensamiento de Abenjaldum de la mano de Ortega y Gasset, que tan donosamente nos lo explicó en aquel luminoso ensayo suyo titulado *Abenjaldum nos revela el secreto*[2].

«La sociedad humana comienza en el libre campo como nomadismo, y es allí un mínimum de cooperación y un máximum de lucha. La sociedad humana "termina por la fundación de ciudades y tiende forzosamente a esto". En cambio, no acontece lo inverso: los ciudadanos no retroceden a la vida nómada, al libre campo [pág. 258]. "La vida sedentaria es el término en que la civilización viene a detenerse y corromperse; en ella el mal llega al máximum de su fuerza y no puede encontrarse el bien" [pág. 260]. El ciclo de una ciudad se ha consumado; nacida en el campo, fructifica en la conquista de otros grupos, que reúne bajo una soberanía, y muere en la ciudad, fundada como residencia de ese poder político. La visión es simple y profunda. Quien no tiemble un poco ante esa imagen cíclica, ante ese brevísimo film metahistórico y lo juzgue una puerilidad, es él pueril. Según esto, para Abenjaldum, que era un hombre cultísimo, la civilización, consecuencia inexorable de la cooperación, constituye un mal en sí misma y es, en el proceso de toda evolución social, el principio que le mata. El extremo de civilización es históricamente una misma cosa. ¿Por qué? La civilización es la ciudad y la ciudad es la riqueza, la abundancia, la vida *superflua,* lujo y lujuria. "La familia que llega a reinar sufre el influjo del tiempo, pierde su vigor y cae en corrupción. Los cuidados que se ven obligados a dar al imperio quebrantan sus fuerzas; llegan a ser juguete de la fortuna, porque se han enervado en los placeres y agotado sus fuerzas en el goce y el lujo. He aquí cómo termina su dominación política y su progreso en la civilización o urbanidad de la vida sedentaria, modo éste de existencia natural a la especie humana, como es natural al gusano hilar su capullo a fin de morir dentro de él."

»En otro lugar, Abenjaldum nos dice: "Si los árabes tienen necesidad de piedras para servir de soporte a sus marmitas, arruinan las construcciones próximas a fin de procurárselas. Si han menester maderas para hacer estacadas en que sustentar sus tiendas, destruirían los techos de las casas para agenciárselas. Por la naturaleza misma de su vida son hostiles a todo lo que signifique edificio"[3].

»En esta tensión entre campo y ciudad reside el secreto de la historia musulmana. El nómada, valiente, esforzado, batallador, templado por una vida pobre y dura, es el conquistador. Cae sobre las ciudades y las hace suyas, pero al hacerlas se envenena de su virus fatal y cae en la molicie, para que, al correr de los años, otros nómadas vengan a usurparle su puesto. Así, toda la historia se convierte en un proceso siempre repetido: períodos de invasión y creación de estados, períodos de civilización y nuevos períodos de invasión. Abenjaldum llega a fijar la cifra temporal de este ritmo en tres generaciones (ciento veinte años). Eso dura un estado. "Poco antes, poco después, sobreviene la decrepitud. Los estados, como los individuos, tienen una vida: crecen, llegan a la madurez, luego comienzan a declinar"»[4].

La teoría de Abenjaldum nos explica perfectamente el proceso de las ciudades musulmanas, su oposición al entorno campesino, es decir, su vida específicamente urbana. También su falta de continuidad en el aspecto arquitectónico. Siempre nos ha extrañado que los musulmanes no continuaran en sus ciudades la tradición de las romanas y helenísticas, ya que debieron encontrarse muchas de ellas en un estado de bastante integridad. Pero la manera de ser, eminentemente destructora, de los árabes, les hizo irrespetuosos con todo aquello que encontraron a su paso. Cada nueva invasión y pillaje llevaba consigo la destrucción de las ciudades conquistadas y, por consiguiente, la erección de otras nuevas. Lo que sucedía era que su instinto permanente e invariante renovaba siempre la misma ciudad. De este modo se puede decir que las construcciones eran siempre distintas, pero que la estructura de la ciudad volvía a ser la misma, no importando para todo esto el correr del tiempo ni las diferencias geográficas. Por eso, como decíamos en un principio, las ciudades islámicas son tan semejantes en todas las épocas y en todas las latitudes. Por eso la ciudad musulmana es de un tipo tan singular y tan característico, sin precedentes a no ser en los arcanos senos del alma oriental.

La ciudad islámica con su compacto caserío, con sus terrazas, con sus patios como únicos espacios abiertos, con sus callejuelas tortuosas e insignificantes, no se asemeja a

nada, porque no es un artificio racional, sino un organismo
puramente natural y biológico. Si, según la opinión del sociólogo americano E. R. Park, la sociedad humana está organizada en dos niveles: el biótico y el cultural, la musulmana
es consecuencia del nivel biótico, que predomina en la sociedad islámica. En apariencia, el plano de una ciudad musulmana a lo que más se asemeja es al diagrama de un cuerpo
vivo, a la imagen del sistema nervioso o a un corte de la masa
encefálica.

Fig. 15. Toledo. Interpretación de su silueta en época musulmana. En lugar de la torre de la catedral, el alminar de la mezquita mayor.

La verdad es que la estructura de la ciudad musulmana es
la que menos atención ha reclamado de los historiadores del
urbanismo y de los geógrafos. En casi todos los tratados se
elude su estudio, mientras se dedica gran espacio a la ciudad
de la antigüedad, del mundo clásico medieval, renacentista,
barroca y moderna. El geógrafo Robert E. Dickinson se hace
cuestión de esta necesidad. «Estas ciudades sin plano, amasijo de edificios y casas, con calles llenas de vida que varían
de anchura y de dirección y se ramifican saliendo de otras
principales para terminar en *culs-de-sac*, estas ciudades, la-

berintos imposibles de descifrar, incluso con un mapa, son típicas de España. Son así las ciudades moriscas que, tras la expulsión de los musulmanes, fueron abiertas mediante grandes plazas y cortadas por nuevas vías siguiendo la tradición europea. Son características también, casi sin alteraciones modernas, de las tierras musulmanas del norte de África y del Medio Oriente. El tipo se asocia igualmente con las ciudades-oasis del norte de África y del Asia Central, tales como Ferghana y Samarcanda. Lo encontramos de nuevo en las ciudades indígenas de Hungría y Rumanía y en los Balcanes durante el período turco. En los últimos cincuenta años la occidentalización de estos países se ha señalado por la transformación de estas ciudades según patrones occidentales, por la apertura de grandes vías y espacios abiertos. El contraste entre la Sofía turca y la moderna es tan marcado como entre una ciudad-oasis del norte de África y una ciudad planificada del siglo XIX de Europa Central. El crecimiento y plano de estas ciudades de tierras semiáridas, con sus nómadas convertidos en ciudadanos sedentarios, *exige una investigación*. Se desarrollan como compactos asentamientos campesinos sin ninguna clase media organizada y sin ninguna idea de plan o autoridad. Fueron, y son, grandes comunidades rurales de campesinos que poseen tierras en los alrededores, más que centros comerciales para servicio del campesinado»[5].

Aparte de que Dickinson comprende la singularidad de estas ciudades y reclama la necesidad de su estudio, no las interpreta ni las entiende. El que sean un amasijo laberíntico de calles enrevesadas no impide, antes bien obliga, la necesidad de esa interpretación. No se resuelve el caso, como parece apuntar este autor, diciendo que son meros asentamientos campesinos sin función urbana. ¿Cómo puede decirse esto de ciudades como El Cairo, Córdoba, Sevilla o Fez, eminentemente urbanizadas, centros políticos, culturales y religiosos en una extrema medida? Se trataba, por el contrario, de ciudades que asumían este papel de una manera radical y excluyente frente al campo señoreado por el nómada. El que no fueran tan exclusivamente ciudades destruiría la tesis de Abenjaldum señalando la polaridad del campo, escenario de la vida nómada, y la ciudad, de la sedentaria.

La confusión, la carencia de plan no son sólo producto de una vida nómada cristalizada o congelada en forma de ciudad. Son también consecuencia de una civilización, unas creencias y unas formas de vida, irreductiblemente islámicas, que en la ciudad se expresan en grado eminente y que ya hemos señalado en la introducción de este libro, a la que nos remitimos para no hacer fatigosa la lectura con innecesarias reiteraciones.

Sin embargo, es necesario, para tomar el hilo, puntualizar sintéticamente algo de lo que allí dijimos. Entre la ciudad *pública,* la *polis* griega, la *civitas* romana y la ciudad *doméstica* del mundo germano tenemos otro tipo de ciudad irreductible a los dos primeros: la ciudad islámica, que llamaríamos *privada.* Su clave nos la dan los versículos 4 y 5 del capítulo XLIX del Corán, llamado el Santuario (véase pág. 12). Esto da a la ciudad musulmana un carácter profundamente religioso que desde la propia casa (que para el musulmán es un santuario) trasciende a todo, impregna todo. Si la ciudad clásica, aristotélica, es la suma de un determinado número de ciudadanos, la ciudad islámica es la suma de un determinado número de creyentes.

Su carácter privado, hermético y sagrado presta a este tipo de ciudad otra nota que podemos expresar con la palabra *secreto.* La ciudad islámica es una ciudad *secreta,* una ciudad que no se ve, que no se exhibe, que no tiene rostro, como si sobre él cayera el velo protector que oculta las facciones de la esclava del harén. La calle, que es el rostro de la ciudad, el escaparate donde se presentan el palacio del noble, la vivienda del burgués, el edificio público o el monumento religioso, es natural, por este y otros hechos, que no exista en la ciudad

musulmana. Es una ciudad secreta que no tiene calles. No es
que éstas sean irregulares o confusas, es que en puridad no
son calles, son otra cosa. También son irregulares e intrinca-
das las calles de muchas ciudades medievales y, sin embargo,
son calles en toda la extensión de la palabra, escaparate expresivo de la faz de la ciudad.

Ya hemos dicho también que la ciudad occidental, sea clásica, medieval o moderna, se organiza de fuera a dentro,
desde la calle, espacio colectivo, hacia el interior de la casa,
espacio doméstico. Pero siempre es la calle lo predominante
desde el punto de vista morfogenético. En cambio, en la ciudad islámica todo se constituye de dentro a fuera, perdiendo
todo valor estructural el espacio colectivo, es decir, la calle.
Por eso no ha de extrañarnos la falta de sentido que tienen
las «pseudocalles» de las ciudades islámicas si queremos en-
tenderlas con un enfoque occidentalista. Carecen de sentido
si aplicamos las nociones nuestras a una realidad que parte
de unos supuestos totalmente diferentes. En cambio, si tra-
tamos de comprender estos supuestos, los que dieron origen
a este tipo de ciudad, todo nos resultará más claro y descu-
briremos el sentido que antes no acertábamos a desentrañar.

En el dédalo de callejuelas de las ciudades musulmanas
advertimos en seguida un hecho sorprendente: la enorme
cantidad de callejones sin salida, de «adarves» en el sentido
etimológico del *darb* árabe. El adarve, en este aspecto, es
algo así como la negación de la calle, la negación del valor estructural de la calle en la formación de la ciudad. La calle
formativa es la que conduce de un lado a otro, siendo pieza
esencial de ese espacio público condicionante. El adarve no
tiene salida, no tiene continuación, no sirve un interés público, sino un interés privado, el del conjunto de casas en
cuyo interior penetra para darles entrada. Es, por tanto, una
calle privada que de hecho se cerraba de noche, aislando y
protegiendo una pequeña comunidad de vecinos. Decir calle privada parece y es una contradicción en los términos. La

calle, tal como nosotros la entendemos, es algo público que no admite privatización. Desde el momento que se privatiza ya no es calle, es otra cosa, que es lo que nosotros sostenemos. Gracias al uso extensivo de los adarves o callejones sin salida los musulmanes lograron privatizar una gran parte del espacio público sustrayéndolo a su condición. Así nos damos cuenta de por qué proliferó tanto este elemento urba-

Fig. 16. Fez. Una calle de la medina. (Dib. del autor.)

no que apenas encontramos en las ciudades medievales cristianas y que sólo volverán a renacer en algunas urbanizaciones modernas del tipo de las ciudades-jardín, donde predomina también el sentimiento de lo doméstico y de lo privado.

Pero se nos dirá que en las ciudades musulmanas también existe la calle de tránsito, que conduce de un lado a otro, y que es inevitable para el funcionamiento de la ciudad. Sí, en efecto, pero también estas calles se condicionan de una manera diferente según su peculiar manera de entender la ciudad. Una calle occidental es siempre un algo continuo, cuyo ejemplo más perfecto es una alineación recta. No importa que la calle medieval sea muchas veces sinuosa y adopte las formas curvilíneas más diversas; por eso no se pierde la continuidad. En cambio, en la calle musulmana, aunque se trate de una arteria de tráfico, esta continuidad se rompe siempre con un recodo o con un quiebro. Es frecuente la calle que se prolonga paralela a sí misma mediante un quiebro que rompe la perspectiva. Al musulmán le repugna la alineación indefinida de una perspectiva continua que destruye toda intimidad, acostumbrado como está a guardar ésta celosamente. Por tanto, mediante estas calles quebradas, donde no existe ninguna alineación recta ni ningún transcurso continuo, logra el musulmán este sentido intimista hasta en el espacio menos privatizado, más público.

El encanto que se desprende del espectáculo urbano en las ciudades islámicas se basa en lo que acabamos de decir: en el hecho de su intimidad. Si nos encontramos en una avenida inmensa y rectilínea de Manhattan, el escenario urbano desaparece y sólo queda una abstracta perspectiva sin fin que no nos dice nada, que casi nos asusta. Extremo opuesto: si nos encontramos en medio del dédalo de callejuelas toledanas, nuestra vista está siempre recogida y como amparada por un «dentro» expresivo y humano. Nos hallamos en una «interioridad» formada por el hombre que nos subyuga, es

Fig. 17. Málaga. Una calle. Obsérvese el intimismo de la calle cerrada con la torre de la catedral al fondo y compárese con la figura 16. (Dib. del autor.)

decir, que nos tiene bajo su yugo. Estamos bajo condición o en condición de intimidad.

Es curioso que estas formas urbanas islámicas persistan luego como invariantes en ciudades posteriores cristianas en aquellos países que tuvieron un pasado árabe, como nos sucedió a nosotros los españoles. Por ejemplo, en una ciudad tan abierta y despejada como Alcalá de Henares, que casi parece una ciudad regular moderna, encontramos calles paralelas a sí mismas, calles en escuadra, quiebros y ensanchamientos quebrados cuyo origen musulmán es evidente. Es que la historia no pasa en vano.

Este sentido intimista de la calle va parejo con el carácter secreto de la ciudad. Una calle continua, abierta, es obligadamente exhibicionista, y al musulmán repugna todo esto. Prefiere el secreto, que no se sepa lo que hay detrás. En esto juega también una parte importante el sentido igualatorio de la religión de Mahoma.

El Islam es una teocracia igualitaria. Para el cristiano, todo el poder *viene* de Dios, *Omnis potestas a Deo,* pero el musulmán va más allá: es Dios, sin delegación alguna, el que gobierna por medio de su libro revelado. Por tanto, el poder de este libro es superior al que tienen los textos sagrados de otras culturas. Dios gobierna solo, infinitamente solo en su trascendencia inaccesible[6]. El califa es la sombra y la espada de Dios.

Esta noción absoluta del poder lleva en sí, como germen, su fragilidad. El que gobierna está legitimado por el mismo hecho de gobernar, ya que desde el momento que así lo hace es porque Dios así lo quiere. Esto legitima también la sedición y el golpe de mano, que si triunfa es también porque Dios lo ha querido. Nuestros pronunciamientos militares del siglo XIX son hasta cierto punto un residuo de un concepto del poder típicamente musulmán. El poder se legitima por el hecho mismo de su éxito.

Teniendo en cuenta que el poder no sólo viene de Dios, sino que lo ejerce Dios, ante Él todos los creyentes, todos los sometidos, todos los islámicos, son fundamentalmente iguales por el hecho de ser creyentes. Para el cristiano, la confraternidad se basa en ser hermanos, como hijos de Dios, criaturas suyas en libertad. Para el musulmán, más bien en ser esclavos de Dios y, como tales esclavos, sin personalidad propia. No existen más que por la intervención extrínseca y discontinua de Dios. Dios quita y Dios otorga según sus inescrutables designios. El sultán de hoy puede amanecer mañana hecho un mendigo, y ni la víctima ni la sociedad se extrañarán nada por eso. La historia del Islam está llena de estos caprichosos y brutales giros de la fortuna, que el creyente acepta con estoica resignación por ser la prueba palpable de que su destino depende de la mano del Altísimo. Nada permanece, sino Alá.

La radical igualdad del musulmán, esclavo de Dios, le hace ser extraordinariamente cauto y prudente cuando se trata de expresar mediante signos externos su jerarquía o su fortuna: esa jerarquía o esa fortuna que pueden ser tan frágiles como pétalos de rosa azotados por el viento del desierto.

Juzgamos que quizá no hubo príncipes tan dispendiosos y fastuosos como los musulmanes en sus alcázares de ensueño, pero olvidamos que estos palacios de su intimidad los escondieron tras opacas e inexpresivas murallas, no ofreciéndolos a la vista porque esto sería un desafío a esa igualdad fundamental. El musulmán no concibe el elevar una fachada significativa y esplendorosa en una calle o en una plaza públicas para exhibir su afortunada condición. Su recato es un signo de respeto a sus hermanos, a sus iguales. La primorosa fachada de su casa la levantará en un patio suyo, propio, no sólo para su íntima contemplación, sino para respetar a aquel que no la puede tener. De aquí, como decimos, que la ciudad musulmana sea una ciudad secreta, indiferenciada, sin rostro, misteriosa y recóndita, hondamente religiosa, símbolo de la igualdad de los creyentes ante el Dios Supremo.

En medio de la indiferente estructura de la ciudad musulmana, no sabríamos distinguir unos barrios de otros si no
fuera por la población que los frecuenta. Mientras los que
ocupan las viviendas están la mayoría de las veces silencio-
sos y desiertos, los dedicados al comercio se caracterizan
por su ajetreo y bullicio. Pierre George nos describe así la
misteriosa ciudad de Damasco: «La vieja ciudad ofrece el
contraste familiar en todo el Mediterráneo musulmán, entre
los barrios de viviendas y la calle de los comerciantes. El primero es un hormiguero de calles estrechas, a menudo cubiertas por los salientes de las casas, y que terminan a veces
en callejones ciegos. Las casas bajas, construidas de tapial y
madera, están cerradas a la curiosidad. Ninguna abertura,
salvo la puerta de entrada. Las ventanas del piso superior,
bien enrejadas o cegadas con persianas y celosías. La vida
privada es impenetrable para el transeúnte que no percibe
más que sombras huidizas a través del estrecho foso de la
calle. El silencio y la calma hacen olvidar la extraordinaria
acumulación de la población. Pero ésta se presenta con una
exageración multicolor en el zoco, mercado de barrio o mercado general. Aquí aparece la otra faz del Oriente, con su
ruido de multitud y su olor acre de especias, polvo y sudor.
Todos los pueblos, todos los tipos, parecen haberse dado
cita: campesinas de Ghuta con amplios velos claros, rosa o
azul pálido, hauraneses de cara tatuada y severo traje azul
oscuro, judíos de Bagdad todos de negro, la cara bajo la vi-
sera a la moda de Persia, beduinos del desierto envueltos en
sus harapos y en su dignidad, curdos con turbantes multico-
lores, afganos vestidos de blanco, negros del Sudán en bubú
y magrebíes en su chilaba»[7].

El aspecto general de las villas de Oriente, si las contemplamos desde lo alto de un alminar, es el de una sucesión de
terrazas donde se sacuden las alfombras y se seca la ropa al
sol. De cuando en cuando aparece el agujero de algún patio
interior del que emergen contados árboles, el trazado de las

calles se pierde a la vista y lo único que se destacan son algunas torres y cúpulas.

Todas las ciudades islámicas estaban cercadas de murallas, pareciéndose en esto a sus contemporáneas del mundo cristiano. El núcleo principal, llamado *Madina* –de donde ha venido el término castellano medina que encontramos en numerosos topónimos–, encerraba la mezquita mayor, la Madrasa, la alcaicería (Kaisariya) y las principales calles comerciales. Luego venían los barrios residenciales y, por último, los arrabales *(arbad)*, que a veces estaban encerrados en sus propias murallas que se apoyaban en la principal. En muchos de los barrios y arrabales la población se agrupaba de acuerdo con sus oficios y medios de vida. Torres Balbás nos señalaba a manera de ejemplo el arrabal de los barberos de Toledo; de los curtidores (al-Dabbagin), en Zaragoza; de los halconeros (al-Bayyazin), en Granada, Alhama, Quesada y Baeza; de los alfareros (al-Fajjarin), en Granada, y los barrios de estos últimos, de los bordadores o tejedores (al-Tarrazin) y de los funcionarios de la corte (al-Zagagila), en Córdoba[8].

Ya hemos hablado suficientemente de las calles, su diversidad, características y funciones. Muchas de ellas estaban encubiertas. «Respondía esta disposición a lo apretado del caserío urbano dentro de la cerca. Faltas de espacio, las viviendas extendían sus pisos altos –sobrados o algorfas– sobre las calles por medio, unas veces, de voladizos apeados en tornapuntas o jabalcones, como hubo en Granada sobre el río Darro y son frecuentes en ciudades orientales y norteafricanas, y otras cubriendo totalmente un tramo de la calle; sin restar superficie a ésta, aumentábase la edificada»[9].

Las Ordenanzas de Toledo disponían que los constructores de «sobrados que atrauiesan las calles a que dizen encubiertas» debían de hacerlos de altura suficiente para que pasara bajo ellos «el cavallero con sus armas e que non le embargue».

Fig. 18. Tetuán. Una calle encubierta. (Dib. del autor.)

Para nosotros los españoles, el conocimiento de las ciudades islámicas es de un enorme interés, porque durante toda
la Edad Media los centros urbanos más importantes son los
debidos a los invasores agarenos. Mientras los cristianos po-
bladores de la España septentrional vivían esparcidos por el
campo o en pequeñas agrupaciones junto a monasterios o
castillos, los árabes, desde los siglos ix y x, fundaron popu-
losas y florecientes ciudades. Tenemos noticias de Córdoba
desde el siglo x, una ciudad que rivalizaba con los grandes
emporios orientales, como Damasco, Bagdad y Constanti-
nopla. Desde el principio, caracterizaba su estructura urbana la irregularidad de sus calles y manzanas y el ser ciegas
muchas de aquéllas. Estructura similar a las de Oriente y,
por tanto, importada, sin que influyeran los trazados romanos y visigóticos. Cuando llegaron los árabes a Córdoba, la
ciudad romana se hallaba sepultada bajo cuatro o cinco me-

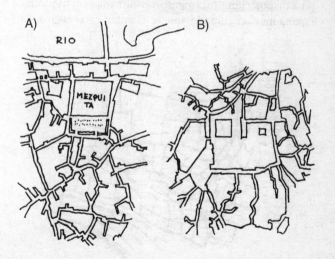

Fig. 19. A) Córdoba. Alrededores de la mezquita. B) Toledo. Alrededores de la catedral. (Dib. del autor.)

tros de escombro, que hacen pensar en la serie de catástrofes
que hubieron de producirse en tan turbulentos años.

«Hacia el año 1100 existían en la España musulmana ocho
ciudades por lo menos, Córdoba, Toledo, Almería, Granada,
Mallorca, Zaragoza, Málaga y Valencia, ricos y populosos
centros de civilización, cuyo recinto murado ocupaba más
de 40 hectáreas y su población excedía de las 15.000 almas»
(Torres Balbás). Esto era un hecho insólito en la Europa occidental, donde apenas existía la vida urbana.

Todas estas ciudades obedecían a la misma estructura,
aunque se dieran casos como el de Zaragoza, donde al parecer se conservaron algunas características del trazado romano. Un autor musulmán, Al-Himyari, señala, extrañado, la
para él insólita disposición en cruz de las calles de Zaragoza,
con cuatro puertas en los extremos de las dos más importantes, el *cardo* y el *decumanus.*

La disposición típicamente musulmana la conservan en
España muchas ciudades que se cuentan entre las más im-

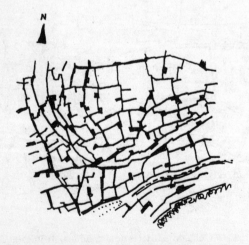

Fig. 20. Granada. Barrio del Albaicín. (Dib. del autor.)

portantes de la península: Sevilla, Toledo, Granada, Córdoba, Murcia, Écija, parte de Málaga, Valencia y Almería. Estas ciudades nos parecían hasta ahora el colmo de la inadaptación a la vida moderna por la imposibilidad en ellas de la circulación del automóvil. Sin embargo, esta circulación ha adquirido tales proporciones que incluso en las ciudades modernas tendrá que llegar un día en que haya de prohibirse en el centro, dejando grandes islotes para el único paso de los peatones. Estas medinas musulmanas podrán ser excelentes islotes en el corazón de una urbe del futuro, lugares para gozar de calma y de silencio o para el discreto deambular por las calles animadas y pintorescas. Así se volverá a reanudar la vida ciudadana, la vida callejera, que el automóvil, monstruo insaciable, está extirpando de nuestras urbes.

Lección 5
La ciudad medieval

Con la lenta caída del Imperio romano y todo lo que éste suponía en cuanto a organización política e instituciones, el mundo occidental va cambiando de aspecto, y las ciudades, las antiguas *civitas* romanas, decrecen de tal manera que muchas de ellas desaparecen por completo. La población, entonces, se disemina por todo el área rural, dejando de estar agrupada en grandes concentraciones. Este hecho es acaso uno de los más importantes para comprender todo lo que será la Edad Media y verdaderamente esencial para la inteligencia de su proceso urbano.

La Edad Media europea empieza poniéndose a nivel de una rudimentaria sociedad agraria, que será la base de su economía y de su desenvolvimiento posterior. El régimen señorial que se establece en toda Europa, el feudalismo, tiene fundamentalmente esta base agraria. El rey cuenta con señores feudales que le apoyan y le sostienen en caso de guerra y a los cuales otorga el dominio de vastos territorios. Sobre ellos gobierna el señor casi con poderes absolutos, obteniendo del campo todos sus recursos y sometiendo a la población campesina a una servidumbre completa de vidas y haciendas.

El carácter agrario de la sociedad y de la economía medievales modifica sensiblemente el rostro de Europa. El hecho de estar la población diseminada hace que, poco a poco, toda la tierra sea objeto de cultivo, cambiando y humanizándose el paisaje; estableciéndose, como ha dicho muy bien Luis Díez del Corral[1], un *continuum,* un trabado y vivo tejido geográfico humano. El labriego fue la piedra angular de Occidente, «el agro, su morada y su tarea fundamental, a la que contribuyeron con el labriego, el monje, el noble, el burgués, el príncipe y hasta el emperador en persona».

Esta situación suponía un contraste y diferencia notables con lo que había sucedido en el mundo antiguo y en el mundo islámico, donde la función rectora de la sociedad había correspondido enteramente a las ciudades y donde la población se había concentrado en algunas de éstas de gran desarrollo y volumen.

En el mundo islámico, como ya tuvimos ocasión de acentuar, gran parte de la población se acumuló en las ciudades, y la explotación agraria se reducía muchas veces a cultivos intensivos agrupados en torno a estos centros urbanos. Puede decirse que, en el Islam, de la vida nómada se pasa, sin un asentamiento campesino, sin transiciones, a la vida urbana. Es posible que el carácter agrario de la sociedad europea durante la Edad Media fuera favorecido por las características naturales del suelo en Francia, Germania e Inglaterra, que se presta a ese cultivo continuo por sus excelentes cualidades agrícolas. En cambio, el campo, para los musulmanes, era la mayoría de las veces una pequeña vega o un oasis de gran fecundidad, en medio de un desierto imposible para todo cultivo. Es, pues, indudable que un determinismo geográfico condicionó también la distribución demográfica en unas y otras culturas.

Toda la cultura europea durante la Edad Media tiene un acusado carácter terrícola, como ha observado Luis Díez del Corral, a cuyas páginas, ya citadas, me remito. «El carácter campesino de la cultura europea manifiéstase de esta suerte en sus más diversas facetas: en el arte, en la vida eclesiástica, en la política y la organización social, en la economía y en la vida militar. No implica tal apreciación una actitud romántica de desvalorización de la ciudad europea frente al campo. Es evidente que lo más excelso de la cultura europea ha surgido en la ciudad y no en el campo –en menor grado, desde luego, que en el mundo antiguo o en buena parte del oriental–; pero tratábase de unas ciudades que eran campesinas por estar envueltas y enraizadas en una sociedad de tal índole, de donde se les originó, paradójicamente, la posibilidad de vacar a otros menesteres y de desarrollar un tipo de vida y cultura *sui generis,* de un carácter máximamente ciudadano» (págs. 148-149).

Sabida es la importancia que en la cultura y en la vida medieval en general adquiere la organización monástica. Frente al cristianismo griego y bizantino, de carácter eminentemente urbano, la vida religiosa de Occidente se caracteriza también por esta dispersión agraria. El monasterio es un centro religioso aislado, independiente de la ciudad y vinculado profundamente al campo. Gran parte de la colonización agraria europea fue debida a estos centros monacales, que coadyuvaron a dar plasticidad y flexibilidad a ese *continuo* a que anteriormente hicimos mención.

Dentro de ese *continuo,* de ese tejido geográfico humano, se engarzarán las ciudades de una manera perfectamente orgánica sin que se rompa su continuidad ni se altere su estructura. Tampoco serán demasiado grandes. Una ciudad de gran tamaño rompería precisamente la continuidad del susodicho tejido. Así vemos que, al final de la Edad Media, de la población del Imperio germánico, que comprendía unos 12 millones de habitantes, sólo el 10 o el 15 por ciento vivía en las ciudades. Éstas alcanzaban, sin embargo, el número de 3.000, y la razón no era otra cosa que su pequeñez, ya que sólo 10 o 15 rebasaban los 10.000 habitantes.

Se realizaba, por consiguiente, en la Edad Media europea el esquema ideal del asentamiento rural, ejemplo de la colo-

nización continua de todo un territorio. Los geógrafos han
estudiado algunos esquemas abstractos de este tipo, y uno
de los más conocidos es el llamado sistema exagonal, en el
que por medio de una red de exágonos, que abarcan completamente una extensión territorial, se sitúan jerárquicamente
los diversos centros, desde la más elemental aldea hasta la
capital del condado, de la región o de la nación. Donde este
tipo de reparto jerárquico de los centros urbanos puede darse con caracteres más geométricos es precisamente en el
asentamiento agrario, ya que otros tipos de asentamiento,
como el del nómada o el de la civilización industrial, no obedecen tan claramente a estos patrones. De todas maneras, se
comprenderá que no se trata más que de abstracciones muy
crudas, que sólo muy por encima pueden ayudar a interpretar la realidad, no a representarla. Eliseo Reclus, estudiando
la distribución de las ciudades francesas de origen medieval,
considera que su relación espacial parte de la distancia que
puede recorrerse a pie en una jornada de ida y vuelta.

Fig. 21. Mont St. Michel. (Dib. del autor.)

La ciudad de los tiempos medios, propiamente tal, no aparece hasta el comienzo del siglo XI y se desarrolla fundamentalmente en los siglos XII y XIII. Antes de este momento dominaba completamente la organización feudal agraria de la sociedad. Frente a ésta, el crecimiento de las ciudades se origina principalmente por el desarrollo de grupos específicos de tipo mercantil y artesano. El verdadero motivo que da nacimiento a la ciudad medieval, y que en cierto modo es el fundamento de toda sociedad en general, es el comercio y la industria, que empieza a despuntar pasado el año 1000 cada vez con más fuerza. Con el desenvolvimiento del comercio en los siglos XI y XII se va constituyendo una sociedad burguesa que se compone no solamente de mercaderes viajeros, sino de otras gentes asentadas permanentemente en estos centros donde el tráfico se desarrolla: puertos, ciudades de tránsito, mercados importantes, villas artesanas, etc. En estas ciudades se establecen personas que ayudan a todos los menesteres que el desenvolvimiento de los negocios exige: armadores de barcos, constructores de aparejos, de barriles, de embalajes diversos, incluso geógrafos, para el trazado de las cartas marítimas, etc. La ciudad va, por consiguiente, atrayendo un número cada vez más considerable de personas del medio rural, que allí encuentran un oficio y una ocupación que en muchos casos les libera de la penosa servidumbre del campo. Esta sociedad burguesa, que paulatinamente se va desarrollando, es el estímulo de la ciudad medieval. Pirenne ha dicho que nunca con anterioridad existió una clase de hombres más específica y estrictamente urbana que la burguesía medieval[2].

Esta burguesía se encuentra en principio en contradicción con el orden feudal y señorial establecido, y de aquí surgen no pocas dificultades para su desenvolvimiento y, en consecuencia, para el desenvolvimiento de las ciudades. Esta burguesía lo que necesitaba fundamentalmente era libertad de acción para el normal desarrollo de sus negocios. Desde luego, como ha estudiado Pirenne, no trataba de derrocar, ni

Fig. 22. Londres en la Edad Media, ciudad comercial y portuaria. (Dib. del autor.)

muchísimo menos, el orden establecido, que era fundamentalmente aceptado, sin que se discutieran los derechos ni la autoridad de príncipes, nobles y clero. Lo que la burguesía necesitaba era, simplemente, franquicia para desarrollar sus operaciones comerciales. No se trata, pues, de un movimiento político ni de una teoría de los derechos del hombre, como sucederá, andando el tiempo, en el siglo XVIII. Se trata de obtener, dentro del orden establecido, las mayores posibilidades para el desarrollo de su actividad. Al principio, los privilegiados en el sistema feudal intentaron oponerse a las pretensiones de la burguesía, pero luego se avinieron a ellas, adaptándose, ya que prefirieron sacrificar un mal entendido orgullo señorial para obtener, en cambio, pingües ventajas materiales que provenían del cada vez más floreciente desarrollo de los centros comerciales.

La ciudad medieval se constituye, pues, como un área de libertad en medio del mundo rural circundante, sometido a un vasallaje casi absoluto. Poco a poco van cayendo en desuso antiguos derechos señoriales que impiden el próspero desenvolvimiento de las ciudades. Por ejemplo, hornos y molinos en los que el señor obligaba a moler y cocer el pan de los habitantes; monopolios por los que el señor tenía privilegio de vender sin competencia en determinados períodos los productos de sus tierras (trigo, vino, etc.); el derecho de requisar viviendas en la ciudad para uso suyo y de sus caballeros en las épocas en que habitaran en ella; el derecho a levas obligatorias en caso de guerra; la prohibición, por razones estratégicas, de construir puentes, con perjuicio notable para el tráfico, etc. Todos estos privilegios, que podían suponer rentas y beneficios para el señor, no compensaban del daño que con ellos se hacía ni de las ventajas que este mismo señor podía obtener de una ciudad y de un comercio floreciente. Por eso los propios señores acabaron por calificar de pillaje y extorsión estos antiguos privilegios suyos.

No se puede separar el estudio de las ciudades medievales de su paralelo desenvolvimiento jurídico por medio de franquicias, fueros, cartas pueblas y otros instrumentos legales, que favorecieron su desarrollo. En España esto dio como resultado la constitución del municipio, una de las instituciones más ventajosas y democráticas de nuestra Edad Media. En España era muy importante favorecer la creación de centros urbanos capaces de conseguir una colonización de los terrenos conquistados a los musulmanes. Para estimular el asentamiento de los colonos en nuevas ciudades era muy importante atraerlos con beneficios y fueros especiales. Así se constituyeron nuevas fundaciones de ciudades completas y, en algunos casos, de barrios en ciudades ya existentes. Son frecuentes, por ejemplo, los barrios de francos que aparecen en muchas poblaciones, sobre todo de Navarra, y que tienen dentro del conjunto urbano estructura y fisonomía particulares. Estos francos eran colonizadores a los que se atraía con privilegios y que venían del otro lado de los Pirineos. Al final de la Edad Media se fundieron con el resto de la población española. En general, solían gozar de los privilegios que correspondían al ciudadano; es decir, al que hubiera vivido dentro de la ciudad durante un determinado período de tiempo, la mayoría de las veces un año y un día, sin que importaran ni se tuvieran en cuenta otras condiciones de nacimiento, profesión, etc.

El desarrollo de las ciudades trajo consigo también profundos cambios en la legislación, creándose leyes excepcionales diferentes a las que regían en los distritos rurales. Por ejemplo, en la ciudad solían ser mucho más severas las leyes de carácter criminal, por la necesidad de mantener una disciplina y una ejemplaridad mayor allí donde, naturalmente, acudían vagabundos y maleantes de todas clases. Al mismo tiempo que se dictaban providencias rigurosas para el buen orden de la vida ciudadana, se simplificaban los antiguos procedimientos judiciales; se hacía más flexible la legislación contractual y se suprimían arcaicas costumbres, como las compurgaciones, ordalías, duelos, etc., que, como fácilmente se comprende, no se adaptaban a las nuevas condiciones de vida ni al carácter pacífico de la población mercantil artesana.

Otras causas, dice Pirenne, influyeron en el nacimiento de las comunidades. Entre éstas, una de las más potentes fue la necesidad, prontamente sentida por los burgueses, de un sistema de contribuciones voluntarias para atender a las obras comunales más apremiantes, fundamentalmente la construcción de la muralla de la ciudad. La necesidad de esta muralla, que caracteriza la ciudad medieval, fue en muchos casos el origen de las finanzas municipales. Rápidamente esta contribución adquirió carácter obligatorio, extendiéndose no sólo a la fortificación, sino a otras obras comunes, como el mantenimiento de las vías públicas. Aquel que no se sometía a esta contribución era expulsado de la ciudad y perdía sus derechos. La ciudad, por consiguiente, acabó por adquirir una personalidad legal que estaba por encima de sus miembros. Era una *comuna* con personalidad jurídica propia e independiente.

Resumiendo todas estas características, repitamos la definición que finalmente estableció Pirenne, diciendo que la ciudad de la Edad Media, tal como existió en el siglo XII, era «una comuna comercial e industrial que habitaba dentro de un recinto fortificado, gozando de una ley, una administración y una jurisprudencia excepcionales que hacían de ella una personalidad colectiva privilegiada» (véase Lección 2, pág. 25).

Fig. 23. Ávila. (Dib. del autor.)

La ciudad medieval, aunque gozaba de todos estos privilegios que acabamos de enunciar, no es, sin embargo, una ciudad aristocrática, y en eso se diferencia fundamentalmente de la ciudad antigua, ya que ésta era a la vez, como ha dicho Max Weber, el asiento de la nobleza y precisamente surgió como tal sede nobiliaria. En cambio, la ciudad europea occidental de la Edad Media se siente a sí misma como ciudad antinobiliaria, como sede del estado llano o *tiers état*.

En su aspecto físico, la ciudad medieval es también altamente característica. En general, por necesidades de defensa, se sitúa en lugares difícilmente expugnables: en colinas o sitios abruptos, en islas, en inmediaciones de ríos, principalmente buscando confluencias o meandros para utilizar los cauces fluviales como obstáculo para el enemigo. Una situación ideal era la de una colina rodeada por el foso natural de un río, como, por ejemplo, Toledo, o un espolón avanzado en la confluencia de dos cursos fluviales (Segovia, Cuenca). El tenerse muchas veces que adaptar a una topografía irregular condicionó la especial fisonomía de la ciudad medieval y su pintoresquismo. El trazado de las calles tenía que acomodarse a las dificultades del emplazamiento, y por eso resultaban irregulares y tortuosas. En general, las calles importantes partían del centro y se extendían radialmente hasta las puertas del recinto fortificado. Otras calles secundarias unían estas radiales, muchas veces formando círculo en torno al centro. Éste es, en líneas generales, el patrón que se ha llamado radioconcéntrico y que se repite mucho en la ciudad medieval. El perímetro de las ciudades, en estos casos, solía ser sensiblemente circular o elíptico; resultaba el más económico y el de más fácil defensa. El centro de la ciudad lo ocupaba siempre la catedral o el templo, por lo cual la ciudad adquirió una prestancia espiritual de primer orden. La misma plaza de la catedral solía ser la que servía para las necesidades del mercado y en ella se elevaban los edificios más característicos de la organización ciudadana: el Ayuntamiento o la Casa de los Gremios *(Guildhall),* esta última en aquellas ciudades florecientes donde la organización gremial había adquirido gran desarrollo. Aún se conservan espléndidos monumentos de este género en ciudades del norte de Francia, de Flandes y de Alemania. Estos núcleos, presididos por la catedral, que era algo así como la plasmación de los anhelos espirituales de toda la ciudad, constituían el verdadero centro cívico de la organización urbana. De él, como

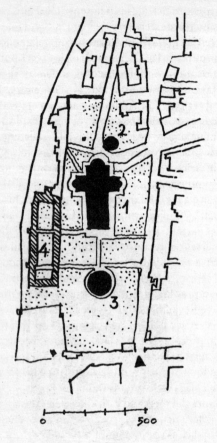

Fig. 24. Pisa. Área de la Catedral. 1. Catedral. 2. *Campanile*. 3. Baptiste-
rio. 4. Cementerio. Ejemplo de agrupación de edificios representativos
en un área central. (Dib. del autor.)

hemos dicho, salían las calles radiales más importantes, que
en general eran las únicas de tráfico. Las secundarias solían
ser únicamente para uso de peatones.

En la constitución de las pequeñas ciudades o villas medievales no puede perderse de vista la fuerza de atracción que ejercen los grandes monumentos, focalizando la estructura toda de la ciudad. La mayoría de las veces por su prestigio religioso, al que se une, reforzándolo, su valor estético, este tipo de edificios sobresalientes, catedrales, grandes abadías, santuarios de peregrinacion, etc., son decisivos en la morfogénesis de la ciudad medieval. Así lo explica Pierre Lavedan. En la organización del plano se «afirman dos ideas directrices, envolvimiento y atracción. Envolvimiento por una serie de casas de un edificio particularmente precioso, sea por su valor moral, sea por su solidez material en vista de la defensa: en general, la iglesia. Atracción de la circulación

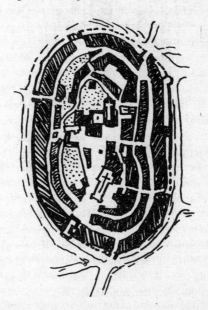

Fig. 25. Lugignano (Italia). Tipo de ciudad radioconcéntrica. (Dib. del autor.)

por este edificio y nacimiento de una serie de vías dirigidas a él. Se tiende así a un tipo de plano que los urbanistas llaman *radioconcéntrico*, es decir, hecho de radios y de círculos, como la tela de araña»[3].

El número de ciudades radioconcéntricas en el Occidente medieval es vastísimo, desde las que reflejan perfectamente el tipo a las que lo hacen de una manera más aproximada. Bram, en Francia; Nordlingen, Fridnhausen y Havelberg, en Alemania; Lugignano y Aversa, en Italia; Vitoria y Pamplona, en España, son ejemplos sobresalientes.

Sin embargo, la variedad de esquemas planimétricos de las ciudades medievales es inagotable, por la sencilla razón de que no existen ideas previas y todas surgen con crecimiento natural y orgánico. Con ánimo de hacer una especie de clasificación, que no deja de ser ingenua, pero que puede ayudar metodológicamente a ordenar la multiforme expresión planimétrica de la ciudad medieval, Luigi Piccinato ha definido así algunos tipos fundamentales: (a) *ciudades lineales*. Son las formadas a lo largo de un camino como Stia, la antigua Stigia, ciudad italiana del siglo XI en la que el centro de la calle básica se ensancha formando una elegante plaza porticada. En España son muchas estas ciudades itinerantes formadas sobre todo a lo largo del Camino de Santiago. Burguete, burgo de Roncesvalles, tiene aún, como tenía en la Edad Media, una sola calle que coincidía con el Camino de Santiago. Estella, Logroño, Santo Domingo de la Calzada y Burgos, aunque ampliadas y transformadas, todavía revelan su origen itinerante.

La villa más típica entre las de este tipo es Castrojeriz, el *Castrum Sigerici,* donde un noble de estirpe goda, Sigerico, alzó su castillo. Siguiendo la falda del cerro del castillo se extiende una calle de más de un kilómetro de larga, arteria dorsal del pueblo. Otra típica villa de camino es Sarria, en la provincia de Lugo.

De acuerdo con la clasificación de Piccinato, siguen (b) las *ciudades cruciales*. En éstas, en lugar de una calle generatriz

y sus paralelas, aparecen dos calles básicas que se cortan or-
togonalmente. En el fondo hay poca diferencia con las ciudades del apartado (c), que podemos denominar *ciudades en
escuadra*. De éstas nos ocuparemos a continuación, al hablar
de las ciudades regulares medievales. Pequeñas ciudades
cruciales son Castelfranco Veneto, en Italia; Bounigheim, en
Alemania, y Focea (Logroño), en España. El tipo (d) lo constituye el llamado *nuclear*. A este tipo pertenecen, más o menos, la inmensa mayoría de las ciudades medievales formadas en torno a uno o más puntos dominantes (iglesia,
catedral, abadía, castillo, etc.). Ya hemos insistido en el formidable valor aglutinante de los grandes edificios representativos y en su influencia en la estructura del tejido urbano.
Hay también ejemplos muy claros de estructura *binuclear*
(e). Como caso curioso podemos citar las plantas en *espina
de pez* (f). Una calle principal de la que salen otras secundarias paralelas entre sí, pero oblicuas a la primera. Algunas

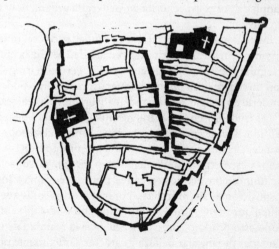

Fig. 26. Francavilla a Mare (Italia). Tipo de ciudad en espina de pez.
(Dib. del autor.)

bastidas francesas, Francavilla a Mare en Italia y Guernica
en el País Vasco pueden clasificarse así. A estos tipos añade
también Piccinato las ciudades *acrópolis* (g) y las *radioconcéntricas* (h). Las (g) no constituyen un tipo propiamente dicho porque es tan general, por razones obvias, utilizar emi-
nencias topográficas que desde las civilizaciones más
primitivas se ha venido haciendo. De las ciudades radioconcéntricas ya hemos destacado su señalada significación[4].

De todas maneras, por este camino llegaríamos, dada la
enorme variedad de las ciudades, villas y burgos medievales,
a tener que establecer tantos tipos como ciudades existen.
En cuanto a morfología, es más claro que nos reduzcamos a
los tres tipos fundamentales, en los cuales caben luego todas
las variantes y diversidades. Estos tres tipos fundamentales
son el irregular, el radioconcéntrico, donde lo más frecuente
es que falte la rigidez de la geometría, y el regular, sobre todo
cuadriculado o en tablero de damas. Ésta es la clasificación
adoptada por el especialista en Geografía urbana Robert E.
Dickinson[5].

Evidentemente, por tratarse de ciudades de crecimiento
orgánico y natural, predomina en la Edad Media la ciudad
irregular o muy levemente geométrica. Pero esta irregularidad no quiere decir, ni mucho menos, caos, como pudo en-
tenderlo en el siglo XVII un racionalista como Descartes.

Las ciudades, en su natural morfología, siempre tienen un
sentido. Bien sea por su adaptación a la naturaleza topográfica del terreno, por la nucleización que promueven sus edificios y estructuras fundamentales, por razón de sus sendas
y caminos convertidos en calles, por la economía y lógica
disposición de sus murallas y por tantas otras cosas que impiden que predominen el puro capricho y falta de sentido.
Todo esto produjo como consecuencia la realidad de unas
ciudades de singular belleza y carácter. Difícilmente podemos encontrar a lo largo de la historia conjuntos urbanos
tan conseguidos, ambientes superables a los medievales,

desde el punto de vista de los valores visuales. Estas ciudades, perfectamente definidas con su cerco de murallas, que hacen el papel del marco en la obra de arte, con sus volúmenes sabiamente escalonados y presididos por la dominante de la catedral o del castillo, producen siempre un efecto encantador, si no han sido expoliadas, alteradas o arrasadas por el crecimiento masivo de los últimos tiempos.

La ciudad medieval es un medio homogéneo y a la vez plenamente identificable en todas sus partes. No hay nada en ellas que disuene ni rompa su sutil tejido; y, sin embargo, ninguna calle se confunde con otra, ninguna plaza o plazuela deja de tener su propia identidad, ningún edificio deja de hablar su propio lenguaje, eso sí, perfectamente jerarquizados y sometidos por su significación y valor simbólico a los grandes monumentos representativos que dominan en volumen, escala y excelencia. Esa identidad sin romper la armonía del todo es algo que muy pocas veces en el curso de la historia ha caracterizado al fenómeno urbano. Nos hace pensar en el correlato plástico de un humanismo medieval, feliz resultado de un mundo en orden. Tema de meditación ante la atroz y masiva uniformidad de la metrópoli moderna o ante las distorsiones que produce la lucha de intereses, imagen de un mundo en desorden en el que el hombre no ha encontrado su sitio.

Como ya hemos dicho, la urbanística medieval no ha desconocido tampoco un sistema de planificación antigua como el mundo: la ciudad trazada a cordel, cuadricular ortogónica, en tablero de damas o como se la quiera llamar. Desde Mohenjo-Daro o Kahun, pasando por las ciudades hippodámicas o los castros romanos, siempre que se ha querido implantar una ciudad *a fundamentis* se ha solido apelar a tan sencillo expediente como trazar sobre el terreno una cuadrícula. No podía faltar esto en la Edad Media, que también hubo de verse en la necesidad de crear ciudades *ex novo* por razones de colonización, de repoblación, de seguridad militar o política, etc.

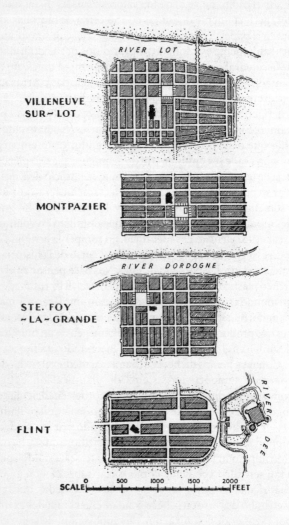

Fig. 27. Planos de bastidas francesas. (Stewart, *A Prospect of Cities.*)

El caso más famoso de todo el urbanismo medieval planificado es el de las bastidas francesas, situadas en viejas tierras aquitanas, entre el Garona y la Dordoña. Su nombre,
(«bastida»), es nombre provenzal que viene de bastir y que
equivale a plaza fuerte.

Los reyes de Francia y de Inglaterra luchaban en los con-
fines del Garona y del Macizo Central y cada uno por su lado
levantaba bastidas para fortificar y mejorar sus fronteras. Lo
mismo pasaba entre los reyes de Francia y los condes de Tolosa, enfrentados en la guerra de los albigenses.

Todas las bastidas seguían trazados regulares en tablero de
damas y nunca formas radiales o en estrella que hubieran po-

Fig. 28. Plaza central de la bastida de Montpazier. (Stewart, *op. cit.*)

dido derivarse de los trazados radioconcéntricos. En cambio, el Renacimiento, como consecuencia de las fortificaciones abaluartadas en forma de estrella, concibe unas ciudades ideales de este tipo radial. Una de las bastidas más perfectas, en cuanto a regularidad de plano, es la de Montpazier, fundada en 1284 por Eduardo I de Inglaterra, duque de Aquitania.

Los nombres que reciben estas ciudades declaran expresivamente su origen. Villeneuve, por su novedad; Villefranche, por sus franquicias; Sauveterre, por su seguridad; Beaumont o Montjoie, por el aspecto del lugar, son nombres típicos.

En España también encontramos nombres parecidos que igualmente corresponden a ciudades creadas de nuevo y casi siempre de plano regular: Villanueva, Villafranca, Villarreal, Salvatierra, etc.

Torres Balbás, en el libro *Resumen Histórico del Urbanismo en España,* dedica una gran extensión, con notable aportación de datos, al estudio de las ciudades regulares en la España medieval. El lector curioso podrá, pues, acudir a este texto[6]. Sangüesa y Puente la Reina, en Navarra, fundadas por Alfonso I el Batallador (1104-1134) son las más antiguas, anteriores a las más conocidas del otro lado de los Pirineos. Lerín, Viana, Huarte-Araquil son también villas navarras bastante regulares.

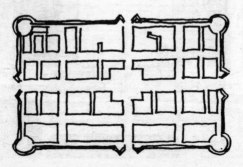

Fig. 29. Villarreal (Castellón). Plano de la primitiva ciudad. (Dib. del autor.)

Otro grupo interesante encontramos en Levante. Como dice Torres Balbás, «hay en la comarca de Castellón varias villas y ciudades cuyo núcleo central conserva, por la ley de persistencia del plano, la perfecta regularidad de su trazado primero: Castellón, Villarreal, Nules, Almenara, Soneja, etc. Casi todas deben su creación a Jaime I y a sus inmediatos sucesores, los reyes de la monarquía aragonesa-catalana»[7]. Las villas levantinas son de más geométrica regularidad que las navarras.

En Castilla, la antigua Briviesca, de abolengo romano –Virovesca–, mudada de emplazamiento y reformada, debe sin duda su trazado actual a principios del siglo XIV y responde a la influencia de las bastidas del sudoeste de Francia. A la misma influencia, comprensible por vecindad geográfica, pueden asignarse las villas vascongadas como Salvatierra, Durango, Bermeo, Tolosa, Bilbao, Marquina y Garnica que ha estudiado Julio Caro Baroja[8].

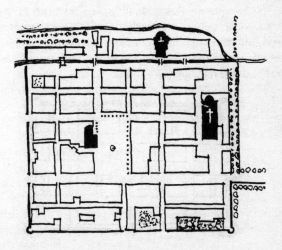

Fig. 30. Briviesca. Plano. (Dib. del autor.)

Al final de la Edad Media los Reyes Católicos fundaron algunas ciudades regulares como Puerto Real (Cádiz) y Santa Fe (Granada), esta última consecuencia de convertir en ciudad permanente el campamento establecido por los reyes en el asedio de Granada.

Así como terminada la Reconquista el ímpetu español encontró en la colonización americana el amplio campo donde aplicar sus excedentes de energía, así en estas ciudades regulares del final de la Edad Media está el esbozo de la gran tarea urbanística hispanoamericana, que llenó un continente de ciudades trazadas con rigor geométrico y amplitud de planteamiento muy superiores a lo que podía hacerse en el viejo y trabajado solar de la metrópoli.

Lección 6
La ciudad del Renacimiento

Hubiera sido lógico pensar que en el Renacimiento, cuando el mundo se expande con ansiedad de nuevas realizaciones, cuando el hombre se libera de tantos vínculos tradicionales, cuando la crítica da nuevas alas al pensamiento y cuando se revisan tantas costumbres pretéritas, se produjera una honda transformación en las ciudades de los hombres. Sin embargo, en realidad nada o casi nada de esto pasa.

«El Renacimiento es sobre todo un movimiento intelectual. En el campo del urbanismo sus primeras contribuciones resultan insignificantes si se las compara con la arquitectura del mismo período y con las escenográficas realizaciones, con los grandes telones del fondo del último barroco»[1].

En efecto, poco representan las realizaciones y hasta las ideas urbanísticas del quinientos si se las compara con el camino recorrido por la arquitectura en esa misma etapa. La arquitectura, movida por los estudios humanísticos, por la restauración de la antigüedad, por el análisis de las ruinas clásicas y por el casi descubrimiento de los códices vitrubianos, emprende una renovación total de sus planteamientos, de sus credos estéticos y de sus formas. La revolución no se hace con el ánimo de desterrar lo viejo, porque el hombre se siente con fuerzas de alumbrar algo suyo enteramente moderno, sino *porque lo antiguo debe superar a lo viejo*. Lo antiguo, la antigüedad clásica, es para el hombre del Renacimiento algo que no tiene edad porque representa un absoluto, un ideal inaccesible y siempre válido. Porque esa antigüedad se había olvidado, se había sumergido en el curso de la historia como caprichoso Guadiana, el hombre había vivido en la oscuridad. Ahora volvía a la luz.

En qué medida el hombre del Renacimiento se siente asimismo como un hombre enteramente moderno, como un hombre recién nacido o como un hombre resucitado, vuelto a la luz antigua, es un tema de indagación muy sabroso, ejercicio de crítica histórica de las ideas de alto porte intelectual. Hasta ahora la significación misma de la palabra Renacimiento inclinaba a todo este movimiento en un sentido restaurador. Sin embargo, nadie olvida tampoco que aquellos hombres, que se consideraban a sí mismos puntuales y objetivos restauradores de lo antiguo, abrían cauces de novedad que ellos mismos no sospechaban.

Para José Antonio Maravall la inscripción «Omnia nova placet» que puso Guillermo Doncel cuando terminó en 1542 la sillería del coro de la iglesia del convento de San Marcos, en León, es como la «clara divisa de un personaje renacentista, esto es, como manifestación del espíritu innovador, libre e insaciable, del Renacimiento»[2]. El arquitecto e historiador Leonardo Benévolo recordaba en un trabajo suyo, al que luego nos referiremos, que en las jambas del palacio arzobispal de México fue grabada esta frase del Apocalipsis:

Dixit qui sedebat in throno nova facio omnia[3].

Eso quiere decir que los protagonistas de la gran empresa colonial americana eran conscientes de la nueva situación en que se hallaban.

Pero, de todas maneras, que la labor creadora de los hombres del Renacimiento dependía, en gran medida, de los ejemplos de la antigüedad que los sustentaban, es un hecho tan insoslayable como puede ser el de la novedad que imprimían a sus interpretaciones. Posiblemente una prueba de lo que decimos la tenemos en la enorme riqueza y variedad de la arquitectura renacentista, en contraste con la pobreza y falta de ingenio de las realizaciones urbanísticas. Para sustentar su obra interpretativo-creadora los arquitectos renacentistas tenían todos los monumentos de la antigüedad romana a su alcance. Podían medirlos, dibujarlos, considerarlos y en muchos casos reconstruirlos idealmente, ya que era una ventaja la ruina de muchos para espolear su imaginación. Si la arquitectura clásica se hubiera sepultado del todo se la hubiera tragado la tierra y sólo hubiera quedado el códice de Vitrubio, verdadero texto sagrado para aquellos arquitectos, la arquitectura del Renacimiento no hubiera sido la que llegó a ser. En cambio, los ejemplos del urbanismo antiguo habían desaparecido, estaban sepultados como en Pompeya, yacían en lejanas comarcas como la Mauritania, la Numidia, la Cirenaica o en los países greco-orientales que habían caído bajo el yugo otomano. No había en qué apoyarse.

Quedaban algunos pasajes más bien oscuros del texto vitrubiano, que además por carecer de figuras resultaban menos expresivos. En el libro I, capítulos VIII, IX y X, aparece la descripción de lo que debe ser una ciudad que cumpla los requisitos básicos de la doctrina vitrubiana: *firmitas, utilitas, venustas.* De aquí nacerá la ciudad-ideal del Renacimiento, creación más intelectual que real, que vendrá a ser una consecuencia más del pensamiento utópico renacentista.

Para Vitrubio la consideración principal que debe presidir el trazado de las ciudades reside en defenderlas de los vientos predominantes. «Los vientos, según la opinión de algunos, sólo son cuatro, a saber: *solano,* que sopla del lado del levante equinoccial; *auster,* del lado del mediodía; *favonius,* del lado de poniente, y *septentrio,* del lado norte. Pero los que han investigado con más cuidado las diferencias de los vientos han señalado ocho, particularmente Andrónico Cyrrhestes, que a este propósito construyó en Atenas una torre de mármol de figura octógona que tenía en cada cara la imagen de uno de los vientos en el lado opuesto de donde soplaba»[4]. Consecuentemente la torre octogonal ateniense, la llamada Torre de los Vientos, que no conocieron los tratadistas del Renacimiento y que ahora conoce cualquier alumno de Historia del Arte, prefigura en su forma la ciudad ideal de Vitrubio y, a partir de ella, la del Renacimiento.

Se trata, pues, de una ciudad cuya planta es un octógono rodeado de murallas. Cada lienzo de muralla se opone a un viento. En los ángulos del octógono, torres circulares muy salientes. Las razones de índole militar se suman a las consideraciones meteorológicas. La figura de la ciudad no puede ser cuadrada ni formada por ángulos muy salientes. Debe ser un recinto para poder ver al enemigo desde varios lugares; los ángulos avanzados no son propios para la defensa y son más favorables a los sitiadores que a los sitiados[5].

Las torres deben ser redondas o de varios lados; porque si son cuadradas pronto son arruinadas por las máquinas de guerra, y los arietes rompen fácilmente los ángulos; mientras que en la forma redonda, las piedras, talladas como cuñas, resisten mejor a los golpes que no pueden empujarlas más que hacia el centro[6].

De este modo queda sancionada como idealmente perfecta la ciudad poligonal de ocho o más lados que tiende a una organización circular en último término y que, por tanto, posee un centro. Frente a la ciudad regular del final de la Edad Media de perímetro rectangular, las típicas «bastidas», la ciudad regular del Renacimiento adopta la planta inscribible en un círculo.

Hasta aquí todo va bien en la interpretación del texto de

Vitrubio. El escollo se produce cuando se trata de la disposición de las calles en el interior de ese perímetro. El texto del arquitecto romano no está claro y sólo hubieran podido esclarecerlo del todo las figuras que se han perdido.

Teniendo en cuenta la dirección de los vientos, que es la máxima preocupación del tratadista, «se sitúan las calles de tal suerte que los vientos atacando sobre los ángulos que ellas formen se rompan y se disipen»[7]. Esto ha dado lugar a que algunos comentaristas como Daniel Barbaro y el mismo Perrault sitúen dentro del octógono una red de calles a escuadra con los ejes principales girados convenientemente para que no coincidan con la dirección de los vientos principales.

Esto da lugar a las soluciones de ciudad ideal de Francesco di Giorgio Martini, Cattaneo, Scamozzi, etc., que dentro de una planta poligonal sitúan una ciudad en damero. Pero como la forma poligonal del perímetro conduce, por lógica geométrica, a la disposición radial, no faltan entre los tratadistas del Renacimiento estas soluciones que dan lugar a la típica ciudad radio-concéntrica. Tanto Francesco di Giorgio Martini[8] como Antonio Averlino el Filarete, en su utópica ciudad bautizada con el nombre de Sforzinda en honor de los Sforza[9], y fray Giocondo trazaron ciudades así que trataban de seguir el ideal vitrubiano. Giorgio Vasari il Giovane, en un ingenioso esquema que se conserva en la colección de diseños de los Uffizi, trató de sumar las ventajas del trazado reticular y el radio concéntrico[10].

Todo este movimiento teórico y especulativo apenas produce las realizaciones que hubieran sido de esperar. Es evidente que las ciudades de Europa habían quedado fijadas en la Edad Media y que muy pocos y muy circunstanciales centros urbanos se fundan *ex novo*. Por eso adquieren especial prestigio ciudades como Palmanova, nacidas en el momento oportuno como consecuencia de una necesidad militar.

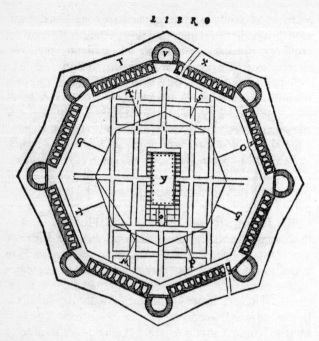

Fig. 31. La ciudad ideal de Vitrubio, según la edición comentada de Daniel Barbaro.

Para protegerse de la amenaza turca, el 7 de octubre de 1539, aniversario de la batalla de Lepanto, se pone la primera piedra de la fortaleza de Palma Nuova en la frontera oriental de la República veneciana. La ciudad es un polígono de nueve lados con una plaza exagonal en su centro de la que salen seis calles principales que conducen a tres puertas y tres baluartes. A los seis otros baluartes conducen calles que no desembocan en la plaza sino en el primer anillo concéntrico. Otros dos anillos concéntricos completan el esquema. Es el más completo y perfecto de una ciudad estelar, el mayor alarde por conseguir una ciudad según los esquemas ideales del Renacimiento.

Fig. 32. Palmanova. (Rasmussen, *Towns and Buildings.*)

Más tarde, quizá siguiendo los preceptos de los libros de
Arquitectura de Scamozzi, se levantaron en Sicilia las ciudades de Grammichele y de Avola después de las destrucciones
del terremoto de 1686.

Otras ciudades militares del tipo de Palmanova, pero mucho menos importantes, se originaron como consecuencia
de las luchas entre los reyes de Francia y de la Casa de Austria. La vieja ciudad de Vitry-en-Perthois, destruida por las
armas imperiales, fue reconstruida en otro emplazamiento
por Francisco I y se denominó Vitry-le-François. Es obra del
ingeniero boloñés Girolamo Marini, y al esquema reticular

simple se une una gran plaza central atravesada por las calles fundamentales en su centro.

Una rectificación de fronteras en tiempos de Enrique II y Felipe II condujo a la fundación de Philippeville, obra del ingeniero Sebastián van Noyen. Los trabajos se iniciaron en 1555. Su planta es pentagonal. A la gran plaza central, cuadrada, convergen diez calles.

Pero entre todas la ciudad que más de cerca sigue el ejemplo de Palmanova es la plaza fuerte holandesa de Coeworden (1597), surgida con otras muchas al independizarse los Países Bajos del Norte.

Pierre Lavedan agrupa por su condición de ciudades ducales las de Livorno, Nancy y Charleville[11]. En las dos primeras se trata de unos vastos programas de ampliación de pequeños núcleos antiguos. Sus trazados regulares, donde predomina la escuadra, quedan envueltos por fortificaciones poligonales con poderosos bastiones.

Charleville, fundación de Carlos de Gonzaga, duque de Nevers y de Rethel, príncipe de Mantua y de Monferrat, es quizá la más bella ciudad regular de los primeros años del siglo XVII, un poco posterior, por tanto, a las de Livorno y Nancy, que son de los últimos años del siglo XVI. En esta ciudad la intención estética es predominante, como afirma Lavedan, y la gran plaza ducal con sus ángulos cerrados es una pieza de gran arte urbano. La compara en cierto modo a Freudenstadt, construida por el gran duque Federico I de Wurtemberg para acoger a los protestantes franceses refugiados. La enorme plaza casi alcanza a ser un cuarto de la ciudad. Sus ángulos son cerrados y las edificaciones forman simples crujías de casas uniformes con puntiagudas cubiertas. Sigue siendo una urbanización interesantísima. Podríamos citar muchas más ciudades de nueva fundación, pero en esta breve síntesis tenemos que ceñirnos a lo más característico.

En gran parte la actividad urbanística durante los siglos XV y XVI se refiere a reformas en el interior de las viejas ciudades que, en general, alteran muy poco la estructura general. Mientras el pensamiento utópico elabora geométricas ciudades ideales, la vida se desenvuelve en los viejos ambientes medievales, en las plazas irregulares y pintorescas y en las estrechas y tortuosas callejuelas de otros tiempos. La apertura de algunas nuevas calles con edificios solemnes y uniformes y sobre todo la creación de nuevas plazas regulares o casi regulares, para servir de marco a un monumento destacado, para honrar la estatua de un rey o de un príncipe o para representaciones o festejos públicos son las empresas urbanas más favorecidas que luego el período barroco continuará todavía en mayor escala.

León Baptista Alberti se ocupa del problema de la arquitectura urbana en varios pasajes de su obra *De re aedificatoria* con un criterio más bien ecléctico. Anticipa el principio moderno de la jerarquía de las calles y piensa que las principales deben ser amplias, rectas, flanqueadas todas ellas de edificios de la misma altura. En cambio acepta que las calles secundarias sean curvas para a cada paso poder ver nuevas formas de edificios. Sebastiano Serlio expresa la conveniencia de que delante de toda fábrica monumental exista una plaza cuadrada o que esté relacionada en sus dimensiones mediante una proporcionalidad simple con el frente del monumento.

Estas ideas de los tratadistas fructifican en calles de trazado rectilíneo y de acompasada y uniforme arquitectura como la Via Julia, de Roma, o en las grandes alineaciones que trazara Sixto V (1585-1590) en el plano de la ciudad eterna. La obra urbanística de este papa es de las más considerables que se han llevado a cabo para sistematizar una grande y antigua ciudad. Dos importantes radiaciones, una con vértice en la Puerta del Pópolo y otra en Santa María Mayor, cruzan la ciudad con una red de diagonales que intentan reunir los puntos más significativos y sobre todo las basílicas mayores por medio de alineaciones rectas. En los

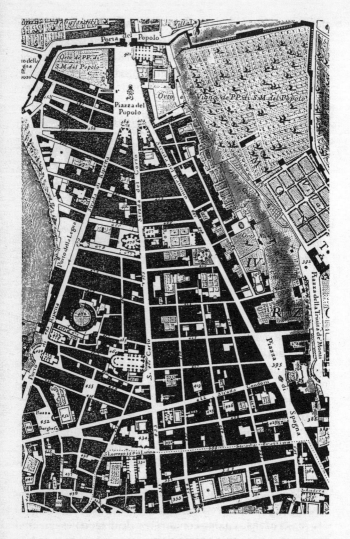

Fig. 33. La Roma de Sixto V. Plano de Nolli.

centros y cruces de perspectivas se colocaron obeliscos. Es, con vistas a las grandes peregrinaciones, una obra de urbanismo estético-religioso. El barón Haussmann hará algo muy parecido con otros propósitos, pero casi tres siglos después.

Fig. 34. Venecia. Plaza de San Marcos. (Dib. del autor.)

Una calle de Génova expresa los ideales renacentistas en materia de urbanismo: es la Via Nuova trazada y construida por Galeazzo Alessi. Este arquitecto levantó la mayoría de los importantes palacios que bordean tan encumbrada calle, residencia de la opulenta nobleza genovesa.

Muchas fueron, también, las plazas italianas que siguiendo los principios renacentistas sirvieron para dar lustre y magnificencia a las más nobles ciudades. La plaza de San Marcos de Venecia se completa en el Renacimiento con la decisiva contribución de Sansovino; la armónica plaza de Pienza, que pudo servir de inspiración a la del Campidoglio; la plaza Farnese de Roma se traza para servir de atrio al magnífico palacio del mismo nombre; la de la Annunziata de Florencia es un bellísimo ejemplo de plaza porticada; la

Fig. 35. Vigevano (Italia). Gran Plaza. (Dib. del autor.)

regularidad de las construcciones se lleva al máximo en la
plaza grande de Vigevano, ciudad predilecta de Ludovico il
Moro. Pero nada comparable a la plaza del Campidoglio pre-
parada en 1536 para la llegada de Carlos V a Roma. «Miguel
Ángel –ha dicho Giovannoni–, adelantándose al tiempo con
su genio, imaginó esta auténtica obra maestra»[12], que sólo
fue terminada un siglo más tarde, pero, cosa rara, con una
absoluta fidelidad a la idea miguelangelesca. El sentido de
unidad y de orgánica correspondencia entre las partes, propias del barroco, está ya presente en la poderosa concepción
del genio. El resto de Europa tardará algún tiempo en seguir

las enseñanzas de Italia y ornamentar sus ciudades con grandes plazas de espectacular y ordenada arquitectura, con calles y composiciones de un rango estético superior. Francia, por ejemplo, que en los siglos XVII y XVIII será la nación que demostrará una mayor capacidad de creación urbanística, queda por el momento muy por debajo de Italia en este aspecto. España, sin embargo, a fines del siglo XVI y debido a la constante afición de Felipe II por elevar la arquitectura a un plano de severa grandeza y rigor conceptual, consigue llevar a cabo algunas creaciones de fuerte originalidad. Por un lado, los conjuntos reales o nobiliarios y, por otro, las plazas mayores regulares representan lo más innovador en el urbanismo filipense.

El Escorial es el mejor conjunto. Las enormes dimensiones del monasterio obligan a organizar el entorno, lonjas,

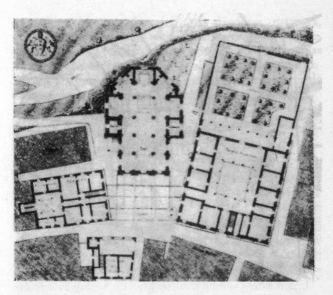

Fig. 36. Pienza. Plaza de la Catedral. (Giovannoni, *Questioni di architettura.*)

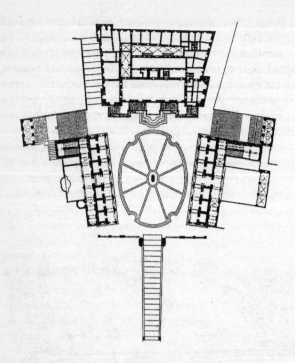

Fig. 37. Roma. Plaza del Campidoglio. Como en las plazas de Venecia y Pienza, los edificios laterales divergen hacia el edificio central. (Rasmussen, *op. cit.*)

dependencias y jardines, con criterio urbanístico. Las ordenanzas en escuadra revelan la pervivencia de tradiciones medievales e islámicas. Felipe II dio mucha importancia a los jardines de sus residencias –El Escorial, Balsaín, Aranjuez, Madrid–, y el trato con los jardineros le producía gran contento.

Una residencia nobiliaria de gran importancia es la del duque de Lerma en la villa de su nombre. Con el palacio se agrupan una serie de conventos de fundación ducal comunicados con la casa señorial por corredores cubiertos, algunos de gran longitud. Aunque se trata de una realización de los primeros años del siglo XVII, por su dependencia, en cuanto a estilo, de la obra escurialense, puede considerarse consecuencia directa del herrerianismo. Palacio y conventos principales constituyen una composición continua del desarrollo lineal, con la particularidad de que alternan los bloques edificados con espacios abiertos en forma de plazas, compases y atrios. La organización es muy libre y más que las ideas de simetría renacentista predomina la tradición castiza española. En su conjunto parece una alcazaba musulmana en lo alto de una eminencia que permite hermosas vistas sobre la vega del Arlanza y el campo[13].

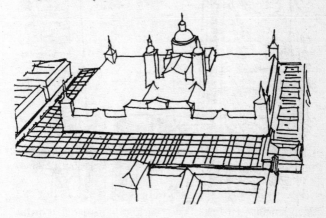

Fig. 38. Monasterio de El Escorial. Encuadre urbanístico. (Dib. del autor.)

Las plazas mayores regulares merecen consideración especial en la historia del urbanismo español. Sus precedentes se pierden en las innumerables plazas medievales de espacio cerrado. Plazas catalanas y levantinas generalmente con soportales formados con arcos de piedra tienen relación con

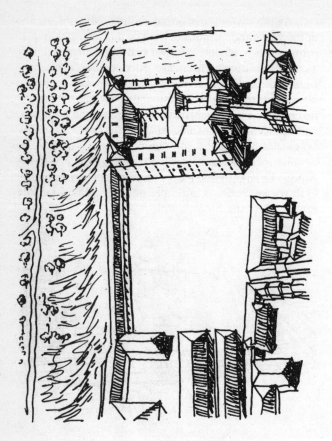

Fig. 39. Lerma. Palacio ducal y plazas. (Dib. del autor.)

las del otro lado de los Pirineos, con las bastidas francesas,
con plazas como la de Montauban (reconstruida en el siglo
XVII). Las plazas castellanas sustituyen los soportales pétreos por pórticos de pies derechos de madera, generalmente rollizos, que soportaban dinteles de madera. Una de las

más antiguas debió ser la de Valladolid, posiblemente del
reinado de don Juan II. Hubo de ser de las primeras que sirvieron para espectáculos, festejos y acontecimientos públicos. En ella fue decapitado, en 1453, don Álvaro de Luna. Sufrió un desvastador incendio en 1561 y fue restaurada por
Felipe II. Mucho más modestas, pero derivadas de la de Valladolid, todavía subsisten las de Villalón, Tordesillas y
Aranda de Duero[14].

Fig. 40. Tordesillas. Plaza porticada. (Dib. del autor.)

Con la restauración por Felipe II de la Plaza Mayor de Valladolid, según trazas del maestro mayor Francisco de Salamanca, se puede decir que nace la primera plaza mayor regular española. ¡Lástima que algunas edificaciones del siglo xix

(entre ellas la Casa Consistorial) hayan destruido su antigua unidad! No es todavía enteramente cerrada, pues las calles no entran bajo arcos, como en las que tienen fachadas continuas. La Plaza Mayor de Madrid tampoco era cerrada hasta la reforma iniciada por Juan de Villanueva a fines del siglo XVIII.

La Plaza Mayor de Madrid, consecuencia de la Antigua del Arrabal, para cuya mejora había dado trazas Juan de Herrera, se regularizó en tiempos de Felipe III. Las obras comenzaron en 1617 y se abrió al público en 1620 con motivo de las fiestas de canonización de San Isidro. Su arquitecto fue Juan Gómez de Mora.

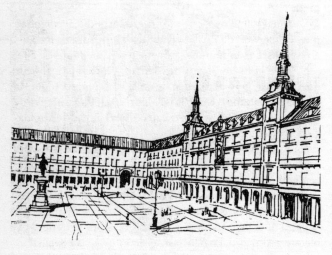

Fig. 41. Madrid. Plaza Mayor. (Dib. del autor.)

La Plaza Mayor de Toledo, la del Zocodover, no llegó a completarse. La de León, menos celebrada pero de las más completas y apropiadas, es de 1677. La de Salamanca, la perla de las plazas mayores españolas, es por su cronología y estilo creación del barroco, pero no podemos separarla del conjunto de las plazas mayores por ser la culminación de todas ellas.

Se construyó entre 1729 y 1733 y ya es enteramente cerrada, con las calles penetrando en su recinto bajo magníficos arcos. Por tanto, se logra una reclusión perfecta, una plaza separada y como ausente de la circulación, que se evita para que nada perturbe su sentido de lugar destinado a festejos y ágora pública.

La tendencia, tan española, a estos espacios reclusos y en franca contradicción con el tejido viario de la ciudad, ¿podrá tener un antecedente en los patios cerrados de las mezquitas?

De todas maneras, el mismo criterio preside excepcionalmente una plaza de París, la Place Royale o Plaza de los Vosgos. Es casi contemporánea, con menos de diez años de diferencia, de la Plaza Mayor de Madrid, y urbanísticamente queda cerca, pero al margen de una arteria importante –la Rue Saint Antoine–, como la de Madrid, queda al margen de la Calle Mayor. El deseo de escapar de las líneas de circulación es evidente.

En Francia el caso de la plaza de los Vosgos no prospera porque las plazas de Mausart pensadas con un concepto escenográfico, muy barroco, son otra cosa.

En cambio, la plaza reclusa es la plaza española por excelencia, como tantos ejemplos lo demuestran. Podemos citar la plaza de la Corredera de Córdoba, las populares de Tembleque y Almagro, las neoclásicas de Vitoria, San Sebastián, Bilbao y Sevilla, y la Plaza Real de Barcelona y la de Guipúzcoa en San Sebastián del siglo XIX.

Aunque debemos hacer honor a los trabajos de Torres Balbás, de Luis Cervera y de Robert Ricard[15], el tema de las *plazas mayores españolas* en su conjunto es todavía inédito.

Para terminar esta lección hay que reconocer que muchas de las ideas urbanísticas del Renacimiento, que no pasaron de doctrina, utopía o ejercicio ideal del intelecto en los países de Europa donde se originaron, tuvieron su campo de realización real en América en la ingente obra de colonización española.

«La cultura del Renacimiento cambia las condiciones mentales del proyecto arquitectónico –ha dicho Leonardo Benevolo–, pero no logra cambiar de la misma forma –por una serie de razones, las cuales aquí no es posible tratar– la práctica de las intervenciones urbanísticas.»

«En cambio –dice el mismo autor–, el esquema urbano ideado en América en las primeras décadas del 500 y consolidado por la ley de 1573 es el único modelo de ciudad producido por la cultura renacentista y controlado en todas sus consecuencias ejecutivas. Este modelo continúa funcionando por cuatro siglos, ya sea en América como en otros lugares, y después de ser generalizado en el cuadro de la cultura neoclásica servirá como base para la más grande transformación de la época moderna: la colonización y la urbanización de los Estados Unidos de América»[16].

América es la tierra virgen donde la utopía no es utopía, donde es una posibilidad real. Como ha dicho Eugenio Imaz[17], «la presencia de América ha hecho surgir la utopía, ha hecho posible el viaje de Hitlodeo, compañero imaginario de Américo Vespucio. La obra de Tomás Moro nacida, en 1516, del impacto producido por el descubrimiento y colonización de América refluye luego sobre el nuevo continente y sirve de guía para algunas de sus empresas. Es la utopía en acción». Un estudio del historiador mexicano Silvio Zabala se titula *La Utopía de Tomás Moro en la Nueva España* (1937). Entre otras cosas se alude a la influencia de la utopía de Moro en los hospitales fundados por don Vasco de Quiroga.

La primera ciudad americana trazada con rigor y concepto geométrico es Santo Domingo, fundada en 1496 según un plano que recuerda el de las villas promovidas en la Península durante el reinado de los Reyes Católicos. Las primeras fundaciones de ciudades en la segunda década del siglo XVI, como La Habana, Guatemala, Campeche y Panamá, siguen la misma línea. Planos sencillos y prácticos trazados a cordel y adaptados al lugar. Viene luego la conquista de México y la consideración de la posible influencia de la vieja Tenochtitlán sobre la ciudad fundada por Cortés. Sin embargo, el sencillo plano ajedrezado no indica aportaciones nuevas o de otro tipo. El hecho de que los grandes edificios públicos, catedral, audiencia, palacio, etc., estuvieran en el mismo centro ceremonial azteca no es bastante para imprimir carácter a un nuevo concepto urbano.

En el año 1573, cuando las experiencias americanas se han cumplido en gran parte, Felipe II promulga las famosas Leyes de Indias, que acaso sean la primera legislación urbanística que conoce el mundo. De aquí y de lo sabio de sus providencias viene su enorme, su trascendental interés. Junto con las ideas propias del Renacimiento, junto con las ineludibles gotas vitrubianas, aparece también el peso de la experiencia práctica. En estas leyes se consagra el plano regular ajedrezado, con lo que no se hace sino consolidar una realidad.

Una de las Leyes de Indias ordena «que siempre se lleve hecha la planta del lugar que se ha de fundar»[18]. Respecto a trazado, la planta se dividiría por plazas, calles y solares «a cordel y regla... a comenzando desde la plaza Mayor, y sacando desde ella las calles a las puertas y caminos principales, y dexando tanto compás abierto, que aunque la población vaya en gran crecimiento, se pueda siempre proseguir y dilatar en la misma forma»[19].

El plano de la ciudad americana es el resultado de conjugar las ideas humanísticas con la tradición del plano de ciudad militar adoptado en la Edad Media en todo el Occidente europeo para las nuevas poblaciones. «En España,

país de remoto desarrollo urbano, no abunda mucho, pero
se encuentra su traza, más o menos deformada, según la
perfección de su replanteo y las modificaciones posteriores, en varias villas navarras creadas en los siglos XII y XIII
(Puente la Reina, Sangüesa, Viana, etc.) en la castellana
Briviesca y, sobre todo, en otras fundadas del siglo XII al
XIV en la Plana de Castellón (Castellón, Villarreal, Almenara, Nules). Como antecedentes más próximos de las
americanas, tenemos las nacidas en el reinado de los Reyes
Católicos: Foncea (Logroño), Puerto Real (Cádiz) y Santa
Fe (Granada); las dos últimas deben su origen a iniciativa
personal de esos monarcas. Santa Fe se fundó, como es
bien sabido, para servir de campamento militar frente a
Granada. El plano regular de todas ellas tiene su lejana ascendencia en los campamentos romanos, cuya tradición
debió de conservarse en la mayoría de los temporales de la
Edad Media por razones pragmáticas. En el reinado de Felipe II las nuevas poblaciones de la Sierra de Jaén, como
Mancha Real y Valdepeñas de Jaén, entonces fundadas, lo
fueron también con trazado geométrico, que aún conserva
su núcleo primitivo. Dicho plano facilitaba la defensa: en la
plaza central estaban los edificios de gobierno, y las calles
rectas que desde ella partían a las puertas permitían una
buena vigilancia y acudir con refuerzos rápidamente a
aquel de los cuatro ingresos en riesgo de ser forzado»[20]. No
cabe duda que la preocupación de la defensa militar estaba
también omnipresente en todas las especulaciones ideales
del Renacimiento.

En los trazados de las ciudades de Hispanoamérica no encontramos ni variedad grande, ni deseo expreso de conseguir otra cosa más que resultados prácticos, facilidad de replanteo, distribución y defensa. No hallamos la variedad de
los esquemas especulativos de los tratadistas del Renacimiento ni su deseo de belleza arquetípica. Tampoco evolu-
cionaron durante el siglo XVIII siguiendo las novedades eu-

ropeas de la ciudad barroca. La cuadrícula se había extendido con tan universal y unánime aceptación que no se consideraba conveniente ninguna mudanza.

«Si faltaron en su planteamiento exigencias refinadas de carácter estético, hubo, sin embargo, una clara coincidencia de lo que debía de ser el corazón vital y representativo, lo que modernamente llamaríamos el centro cívico de la ciudad, alrededor de la plaza mayor. Revelaron los colonizadores una visión clara de las funciones y significación de dicha plaza, hasta el punto de poder afirmarse que el interés urbanístico de los trazados se concentra en dicho lugar representativo. Sin las plazas mayores y los monumentales edificios que las rodean les faltaría a las ciudades hispanoamericanas el carácter y la sugestión que hoy producen. En este aspecto superan incluso a las de la metrópoli, en las que no suele darse la plaza como un factor preponderante y dominador. Tienen más semejanzas con aquellas ciudades de Italia cuya plaza lo es todo. (Florencia, con su plaza de la Signoria; Siena con la del Pallio; Venecia con la de San Marcos; Bolonia con la de San Petronio; Verona, con la plaza delle Erbe, etc.)»[21].

En medio de la monotonía del urbanismo americano podemos, sin embargo, establecer una cierta tipología y clasificar sus ciudades en cinco grandes grupos:

1.º *Ciudades irregulares:* Algunas muy antiguas fundadas sin plan preestablecido. Ciudades en parajes de accidentada topografía: Ixmiquilpán (México), Loja (Ecuador); ciudades mineras como Potosí (Bolivia), Guanajuato (México), etcétera.

2.º *Ciudades semirregulares:* Muy numerosas. Producto de la adaptación de la rígida cuadrícula a las condiciones del lugar, a las leyes del crecimiento, etc.

3.º *Ciudades regulares:* Son la inmensa mayoría y las que definen el urbanismo hispanoamericano en cuanto tal.

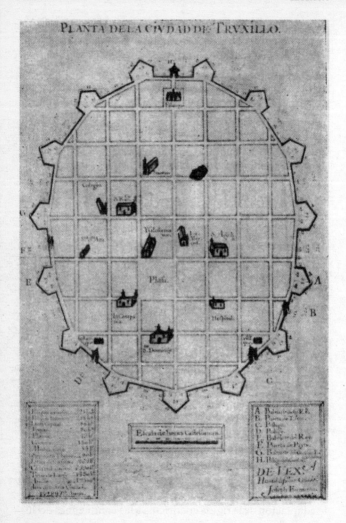

Fig. 42. Truxillo (Perú), plano. *(Planos de ciudades Iberoamericanas y Filipinas.)*

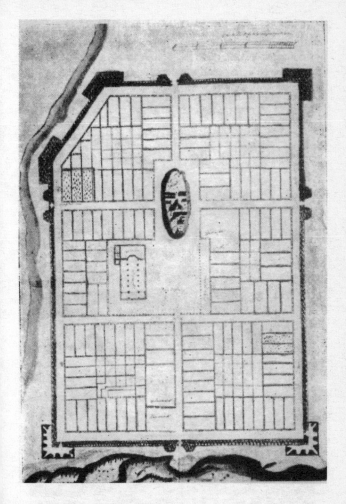

Fig. 43. Portobelo (Panamá), plano. *(Planos de ciudades Iberoamericanas y Filipinas.)*

4.º *Ciudades fortificadas de trazado regular:* Aunque acabamos de aludir a la falta en América de trazados regulares
poligonales o estrellados, frecuentes en los tratadistas (mucho menos en la realidad) del Renacimiento, a veces razones

Fig. 44. Lima (Perú). Parte central. Plano del padre Nolasco. La uniformidad del caserío y su poca altura permite que destaquen las iglesias y
monumentos.

militares y la mayor cultura técnica de los maestros de la fortificación (Antonelli, Fomento, etc.) hicieron que surgieran
algunas que recuerdan los modelos italianos. El mejor ejemplo es Truxillo (Perú), con una fortificación poligonal de
quince lados y quince baluartes inscrita en un elegante óvalo. El trazado de calles no es radioconcéntrico sino cuadricular. La ciudad nueva de Portobelo presenta un plano regular fortificado de elegante traza. Rectangular con un ángulo
achaflanado.

5.º *Casos singulares:* Algunas ciudades, rarísimas, no tienen plaza: La Concepción de Tucumán, Nuestra Señora de
Luján (Argentina). Algunas, como San Juan Bautista de la
Rivera (Argentina), Panamá, Santa Clara (Cuba), Portobelo
(Panamá), tienen sus calles principales desembocando a la
plaza en los centros de sus lados. Solución muy rara porque
la plaza siempre se produce por eliminación de una de las
cuadras del damero.

Mucho se ha alterado por ensanches, ampliaciones y reformas interiores el plano de las ciudades hispanoamericanas, pero mucho más grave ha sido la renovación de su antiguo caserío, proporcionado, armonioso, lleno de carácter y
del más original estilo, para sustituirlo por otro, desproporcionado, falto de gracia, sin unidad ni sentido. Las Leyes de
Indias de acuerdo con la estética del Renacimiento aconsejan que en la ciudad todas las casas «sean de una forma»[22], es
decir, conserven una gran unidad. Hasta hace poco así eran
las ciudades grandes y pequeñas de Hispanoamérica, un dechado de unidad, armonía y gracia que ahora sólo podemos
imaginar repasando las viejas litografías y algún que otro
amarillento daguerrotipo.

Lección 7
La ciudad barroca

El tránsito del orden medieval al que había de ser después el orden de las monarquías barrocas se produce lentamente, pero de una manera continua. En principio, durante el Renacimiento, apenas se perciben elementos de transformación, ya que la vida se desenvuelve sobre el plano del orden medieval. Sólo las elites son las que preludian con anticipación el proceso que se realizará años más tarde. Por lo que se refiere a las ciudades, la ciudad del Renacimiento sigue siendo la ciudad medieval, con pequeños cambios superficiales, consecuencia precisamente del refinamiento artístico impuesto por aquellas elites. Si la ciudad sigue la misma y sigue siendo la misma su estructura, se van transformando, por decirlo así, las fachadas, principalmente de los nobles y de los príncipes, en los que alienta un deseo de belleza y de imitación de la antigüedad. Pero, en el fondo, pocas transformaciones hondas se han producido todavía.

Sigue el Occidente de Europa organizado en la misma forma que ya vimos al hablar de la ciudad medieval, es decir, continúa existiendo ese tejido geográfico humano que representa la distribución continua de la población europea sobre su territorio. Las ciudades, en general, siguen siendo las ciudades pequeñas, situadas a corta distancia entre sí (distancia que permita ir de unas a otras y regresar durante una jornada) y con un vigoroso poder municipal, una vida mercantil libre y una artesanía organizada en sólidos cuerpos gremiales.

Hemos dicho en lecciones anteriores, que esta distribución igual y continua de la población en el Occidente europeo fue una de las causas que dieron lugar al concepto unitario de nación, frente al concepto antiguo de ciudad-estado. El que no existieran esas deformes cabezas que fueron las metrópolis antiguas, que todo lo absorbían y vinculaban a sí mismas, facilitó que surgiera un nuevo concepto, el del Estado nacional, como expresión de una totalidad territorial, de una integración y no de una suma o conjunto aditivo de ciudades. El poder político, el poder real y, asimismo, el poder de los grandes señores, que ejercían a veces una autoridad tan completa como la del propio rey, aunque teóricamente fuera delegada, era un poder *transeúnte,* un poder que no estaba vinculado a ninguna ciudad, sino que transitaba por todo el territorio, acudiendo a donde las necesidades reclamaban su presencia. Todos conocemos por la historia la existencia de estas cortes nómadas y trashumantes, cuyo ajetreo era el precio del poder que habían de pagar el monarca y sus cortesanos. Este movimiento constante no se detuvo en las monarquías francesa e inglesa hasta el siglo XIV, manteniéndose todavía mucho más tiempo en nuestra patria, pues el primer rey español que asienta permanentemente su corte es Felipe II, el rey burócrata, que representa las exigencias del Estado nacional moderno.

Pues bien: con el tiempo, este Estado nacional moderno, que había surgido de la estructura agraria de la civilización medieval, acaba por ser el que la destruye, el que modifica profundamente el orden de cosas antiguo y el que trae el desequilibrio en la distribución de la población, volviendo una vez más a la instauración de la gran ciudad como elemento

político y social decisivo. El Estado trashumante comenzaba
a encontrar una dificultad, cada día mayor, para trasladar
consigo sus instituciones. Los ministros, los servidores, los
instrumentos de gobierno, los papeles, la correspondencia,
etc., eran cada vez un bagaje más pesado para poderlo trans-
portar de una a otra localidad en este constante trasiego. El
monarca y sus más inmediatos colaboradores en el gobierno
no podían ya vigilar todo por sí mismos, acudir a todas partes para dar personalmente la solución. Era necesario, por
consiguiente, crear un instrumento burocrático impersonal
y delegar en una forma o en otra la autoridad. El resultado
fue una burocracia permanente que tenía su asiento en una
corte permanente; sus archivos, sus cancillerías, sus tribunales, etc., en unos edificios permanentes. Y así surge la capital con concepto de tal; la capital, que es una creación enteramente moderna, una creación que podemos llamar
barroca, dando a este término la amplitud que usualmente
se le asigna en el terreno de la cultura.

Antiguamente había existido, ya lo hemos visto, la metrópoli gigantesca: Antioquía, Alejandría, Roma, Bagdad;
pero estas ciudades no eran la capital en el sentido moderno
que estamos considerando: eran entidades políticas en cierto modo autosuficientes, encarnación de la ciudad-estado.
Mas ahora, después de haberse producido la nación como
consecuencia de ese *continuum* campesino feudal de la Edad
Media, la capital tiene que ser algo representativo; imagen y
condensación de la realidad nacional. Si en el mundo antiguo la ciudad era un hecho primario y el Estado se fundía
con ella, o por así decirlo, era un hecho secundario, concebido y estructurado a imagen y semejanza de la ciudad soberana, en el mundo barroco el proceso era opuesto: el Estado
nacional era el hecho primario, y la ciudad la condensación
localizada de los instrumentos políticos exigidos por el Estado. La ciudad, pues, como decimos, era un hecho secundario, un reflejo de una realidad superior que ella represen-

taba y, por decirlo así, materializaba plásticamente en una forma visible.

Con el nacimiento de la gran ciudad, capital política del Estado barroco, la estructura del mundo medieval se altera profundamente y muchas de sus instituciones antiguas son asfixiadas por las nuevas del Estado y la ciudad burocrática. Es indudable que estos grandes centros políticos, asiento del poder, cada vez más absoluto, de las dinastías barrocas, debilitan la vida autónoma de las ciudades libres medievales, que habían sido uno de los ingredientes fundamentales de aquella sociedad. Se puede decir que el mundo político medieval ya formado giraba en torno a los dos poderes del rey y del municipio. Con el advenimiento del nuevo orden, la decadencia de la vida municipal es un hecho cada vez más palpable, ya que su autonomía constituye una traba al poder político central. El poder del rey, que antes era, por lo menos en sus posibilidades de aplicación, muy rudimentario, por sus pobres instrumentos de gobierno, se había convertido, merced a la burocracia organizada, merced a la creación de los ejércitos profesionales, merced al desarrollo del capitalismo mercantilista, en un poder mucho más perfecto, eficiente y capaz de profundizar, gracias a su escalonamiento en autoridades delegadas, en el cuerpo entero del país, hasta alcanzar las partes más alejadas o recónditas. En estas circunstancias, el poder municipal se encontraba, pues, supeditado y, por decirlo así, preso en esta malla, cada vez más fina, que como tela de araña, cuyo centro eran la monarquía y la capital, se extendía por todo el país.

«Por tanto –escribe Mumford–, cesó la multiplicación de las ciudades. No se construían ciudades para una clase creciente de pequeños artesanos y mercaderes; la ciudad dejaba de ser un medio para conseguir la libertad y la seguridad. Era más bien un medio para consolidar el poder político en un solo centro directamente bajo la supervisión del rey e impedir todo desacato a la autoridad central desde lugares lejanos que por esa misma circunstancia era difícil gobernar. La época de las ciudades libres, con su cultura vastamente difundida y con formas de asociación relativamente democráticas, cedió el lugar a una era de ciudades absolutas, centros que crecieron sin orden alguno y que dejaban a otras ciudades en la alternativa de aceptar el estancamiento o de imitar sin recompensa alguna a la capital todopoderosa. La ley, el orden y la uniformidad son productos esenciales de la capital barroca; pero la ley existe para confirmar el estatuto y asegurar la posición de las clases privilegiadas; el orden es un orden mecánico, que se basa no en la sangre, la vecindad o propósitos y afectos comunes, sino en la sumisión al principio regente; y en cuanto a la uniformidad, es la uniformidad de los burócratas, con sus archivos, sus expedientes y sus numerosos procedimientos para regular y sistematizar la percepción de impuestos. Los medios externos para hacer obligatoria esta modalidad de vida se basan en el ejército; el brazo económico es la política mercantil y capitalista, y sus instituciones más típicas son el ejército, la bolsa, la burocracia y la corte. Todas estas instituciones se complementan recíprocamente y crean una nueva forma de vida social: la ciudad barroca»[1].

En virtud de estas circunstancias, a partir del siglo XVI se registra en toda Europa un rápido crecimiento de las ciudades. Durante el propio siglo son ya más de 14 las ciudades que sobrepasan los 100.000 habitantes. París, en 1594, es ya una ciudad de 180.000 habitantes, y Londres, que siempre ha ido ligeramente por encima, alcanza en 1602 el número de 250.000 habitantes. Son dos grandes capitales políticas, fuentes a la vez del poder económico. Alcanzan cifras importantísimas las ciudades italianas, en parte porque en aquella península se había mantenido más viva la herencia del mundo clásico y las ciudades conservaron una mayor preeminencia, sin que se llegara a la dispersión de la población que caracteriza la Edad Media en el resto de Europa. Venecia alcanza en 1575 los 195.000 habitantes; pero hay que considerar que era la capital de la tercera potencia europea, una verdadera capital y corte de un vasto imperio. Milán cuenta con 200.000 habitantes y Nápoles con 240.000. El caso de esta última ciudad es digno de tenerse en cuenta. Sin demasiada justificación, Nápoles, desde el siglo XVII hasta los tiempos modernos, se mantiene como la mayor ciudad de Italia y una de las mayores urbes mundiales. Existiendo dentro de la propia Italia regiones mucho más fértiles y ricas, puertos y villas comerciales mucho más prósperos, capitales de imperios mucho más vastos y poderosos, es, sin embargo, sorprendente la magnitud de esta ciudad meridional. Para Werner Sombart[2], Nápoles es uno de los mejores ejemplos en apoyo de su tesis: que las primeras urbes mundiales han sido creadas por la concentración del consumo. Hace ver Sombart que los comerciantes e industriales no salen del círculo de las pequeñas ciudades. Que, por consiguiente, las ciudades productoras no son las que crecen desorbitadamente, sino por el contrario, las eminentemente consumidoras. Las ciudades cortesanas, las capitales, asiento de la monarquía y de la nobleza, que en ellas consumían sus rentas; de la burocracia y del ejército, la clase más radicalmente consumidora, pues incluso en su actividad ejerce una función negativa.

Nápoles es un ejemplo típico de ciudad cortesana y nobiliaria. Ha dicho Caracciolo que «*Regis servitium nostra mercatura est*». Una corte centralizadora, con una burocracia *gigantesca y complicadísima,* jurisperitos, abogados, escribanos, toda la curia que pulula en estos centros burocráticos, llenaban la ciudad. Al lado de la corte de los nobles y de los curiales, un inmenso pueblo de lacayos, domésticos, ínfimos menestrales y parias de toda laya, que formaban el más bajo escalón social, alimentado por una raza prolífica en un clima benigno. En ciudades como Nápoles, la diferencia de clases debía ser enorme, sin grados intermedios.

No muy distinta debía ser la situación de Madrid en el siglo XVII, ciudad completamente artificial, sin otro contenido que la corte y sin más función que la meramente política. En Madrid ni siquiera existía una clase capitalista, ya que el dinero que llegaba de América lo manipulaban y lo aprovechaban banqueros alemanes, flamencos, genoveses y milaneses. Como decía la condesa d'Aulnoy, a quien debemos la pintura más viva del Madrid austríaco, en Madrid «apenas se ven más que personas de calidad y sus criados [...] Los príncipes, los duques y los títulos son aquí numerosos». María Luisa Caturla, repasando legajos en el Archivo de Protocolos, se sorprende de los ilustres nombres que ellos guardan como sin par documento de lo que fue la vida cortesana de Madrid. «Nombres –dice– que aprendí de colegiala en dramas de clásicos alemanes y recordé luego ante edificios deslumbradores de Génova o Milán, aparecen firmados al pie de los legajos: Conte Fiesco, Octavio Centurión, Palavesin, Justinián, Doria, Spínola y Adorno –xinoveses, que en su maravillosa ciudad de mármol de Carrara eran los ricos y magníficos dueños de palacios famosísimos–, se manifiestan aquí sirviendo al rey.» «Nada como estos protocolos me ha dado conciencia del antiguo poderío de España [...] En ellos se palpa la vida cosmopolita de la corte de los Austrias [...] Las calles del antiguo Madrid presentarían el aspecto abigarrado de una capital del mundo, donde se conocerían los atavíos y se escucharían los idiomas de todas las tierras»[3].

Desde Velázquez hasta el último mozo de cuadra, todos son servidores del rey o de algún noble y todos ponen en el título de criado un timbre de gloria, patente a la larga de aristocracia. Cuanto más cerca se esté del Sol o de sus planetas, mejor les llegará su luz, fuente de honor y de dignidad. Más vale ser criado que tener un vil oficio mecánico, y hasta Velázquez abate las alas de su propio genio por debajo de su excelsa condición de palatino. Cuando Inocencio X regala al pintor una cadena de oro, después de hecho su retrato, éste se la devuelve haciendo constar que no es un pintor, sino un servidor de su rey, al cual sirve con su pincel cuando recibe orden de hacerlo[4].

Madrid era, pues, en el siglo XVII una ciudad de estructura social muy simple. En una forma u otra, todo podía reducirse a señores y criados. Estructura que hoy en día nos parece bien desdichada, sobre todo si consideramos su miserable legado material, ya que la grandeza que pudo tener ha quedado encerrada en los empolvados manuscritos de los archivos, en las glorias legendarias y estupefacientes de la historia. Aquellos banqueros genoveses criados del rey de España construían los palacios de mármol en su patria y aquí quedaba sólo una historia de altivez y miseria.

Circula por ahí (no conozco de qué fuentes provenga) la afirmación de que Madrid, en sus años de máximo esplendor del siglo XVII, contaba con 400.000 almas; pero a nosotros nos parece una cifra fantástica. Si juzgamos por el perímetro del plano de Texeira, del año 1656 (período del máximo esplendor del Madrid austríaco), vemos que no es muy diferente, si acaso algo menor, al del Madrid de 1850, en que la villa y corte tenía 253.000 habitantes. Teniendo en cuenta que, por lo menos, la ciudad se había duplicado en altura y que se habían construido muchos espacios interiores, huertas y jardines, habremos de convenir que la cifra de 400.000 es bastante utópica, por mucho que la población viviese hacinada, cosa que debía suceder, y por mucho que la Regalía de Aposento obligara a los ciudadanos a tener huéspedes forzosos en aquellas casas que no estuvieran construidas «a la malicia», es decir, con un solo piso, para eludir la pesada servidumbre.

Con todo, creo que una apreciación más justa sería asignar a Madrid en aquella época de 200.000 a 250.000 habitantes. Datos publicados por Madoz dan en el siglo XVI una población para la provincia de Madrid de 223.225 habitantes. Según el censo de Floridablanca del año 1786, la provincia de Madrid contaba con 235.968 habitantes, de los cuales 156.672 correspondían a la villa. En el censo de 1797 de Carlos IV, la villa de Madrid sube en 167.607 habitantes. En 1847, según Madoz, la capital tendría una población de 235.000 individuos.

Aunque Madrid creciera y se desarrollara un tanto improvisadamente a partir del año 1561, en que Felipe II estableció en ella la corte, cumpliéndose una vez más la teoría de Sombart, el hecho general es que la mayoría de las ciudades españolas durante el siglo XVII decaen, bajando a veces a extremos de indecible postración. Acompaña a su caída la caída demográfica de España, producida por la expulsión de los judíos y moriscos, por la sangría de la conquista de América, por las guerras de religión europeas, por el desprecio del español para los oficios productivos, por el aumento de la clase sacerdotal, etc. Otras ciudades importantes de la Península, a más de Madrid, eran Lisboa (110.800 habitantes en 1629) y Sevilla (100.000), ambas puertos atlánticos. El descubrimiento de América y el hallazgo de la ruta del Este por el cabo de Buena Esperanza dieron ímpetu a un crecimiento urbano en toda la costa atlántica de Europa. Amsterdam y Amberes, con número aproximadamente igual de habitantes (104.000), y Hamburgo son centros de gran importancia.

Según el cálculo de Lavoisier (citado por Sombart, pág. 55), hecho ante la Asamblea Nacional francesa, en París se gastaban anualmente en artículos de consumo 250 millones, y 10 millones más para las caballerías. ¿Cómo se liquidan estos 260 millones? Veinte millones producen las industrias de exportación y comercio; 140 millones son pagados con ayuda de la Deuda pública y sueldos; 100 millones proceden de las rentas territoriales y de las empresas exteriores cuyos beneficios se consumen en París. Es decir, en el París de Lavoisier, sólo 20 millones devuelve la ciudad con su esfuerzo; el resto proviene de las energías de la nación toda, que allí se concentran.

De esta situación ha surgido el descontento, muy común en las villas provincianas, frente a la privilegiada capital, que absorbe todas las energías sin realizar trabajo productivo alguno. La ciudad productora se siente explotada, víctima de la gran capital. Ésta es, a mi juicio, una postura equivocada, consecuencia de un mal planteamiento de la cuestión. La ciudad beneficiada no es una ciudad X, caprichosamente amparada por la fortuna. Es la capital, y como tal, hay que considerarla aparte de las demás. Es, en cierto modo, un ente artificial –abstracto– que representa al Estado, a toda la nación. La capital no es de nadie y es de todos, y precisamente la experiencia demuestra que quienes más *partido* sacan de ella son precisamente los provincianos, los que luego aparecen como eternos descontentos, mientras que el hijo de la capital, que por no tener no tiene ni casa propia, es la verdadera víctima. Pero esto nos aleja por el momento de nuestro tema, la ciudad barroca, y nos lleva a un problema social, la tensión entre el metropolita y el provinciano. Algo que fue, es y seguirá siempre existiendo.

En el plano puramente estético, la ciudad barroca es la heredera de los estudios teóricos del Renacimiento, de aquellas ciudades ideales que, como ejercicios abstractos, ocuparon las mentes de los tratadistas y comentaristas de Vitrubio. Con un criterio netamente albertiano, el valor de estos esquemas reposaba en la pura armonía geométrica con independencia de la percepción visual. Éste fue precisamente el hallazgo del Barroco: el de crear una ciudad como obra de arte de inmediata percepción visual.

Para lograrlo, el arte barroco contaba con el instrumento adecuado, un instrumento también heredado del Renacimiento, pero sólo más tarde puesto en valor por lo que atañe al trazado y composición de las ciudades. Este instrumento no era otro que el de la perspectiva. Pintores renacentistas habían renovado fundamentalmente la representación del espacio pasando de la imagen plana a la tridimensional. Con el descubri-

miento de la perspectiva geométrica se abrió un campo nuevo
e inmenso y no hubo pintor del «quattrocento» que no se de-
leitara con grandes fondos arquitectónicos en perspectiva que
excitaron las creaciones de los propios arquitectos. Pero no todas las artes se mueven sincrónicamente. Lo que para la pintura y la arquitectura eran ya maduras conquistas, no había todavía llegado al campo del urbanismo. Será más tarde, en el
siglo XVIII, cuando el arte barroco de la composición de ciudades adquirirá todo su apogeo. Este siglo presencia la madurez
de la música y del urbanismo, manifestaciones finales de la
gran cultura europea. Tan es así que la gran arquitectura del siglo XVIII trascenderá de sí misma y se hará en su más valiosa
dimensión arte urbano. Sea la columnata de Bernini, el palacio
de Versalles, la plaza Vendôme o los Inválidos, toda esta arquitectura impone por lo que tiene de despliegue urbanístico.

Pierre Lavedan[5] resume en tres fundamentales los principios del urbanismo clásico; y para un francés, en materia de
arquitectura la palabra clásico equivale a la de barroco para el
resto de Europa. Pero acaso por esta vez no nos parezca mal
esta etiqueta de clásico aplicada al urbanismo, ya que, por su
desarrollo tardío, puede considerarse el siglo XVIII como el
clásico del urbanismo. Estos tres principios son los siguientes:

a) La línea recta.
b) La perspectiva monumental.
c) El programa o, con otras palabras, la uniformidad.

A nuestro juicio, hemos dicho en otro lugar[6], estos tres
principios expuestos por Lavedan pueden reducirse a uno: la
perspectiva o, si se quiere, más generalidad, lo que ha traído la
perspectiva: la ciudad concebida como *vista*. El Barroco, es
más, contempla el mundo como una *vista*. Con anterioridad se
estaba dentro del mundo, se estaba entre las cosas, pero no
se tenía la lejanía ni la visión en profundidad para que estas cosas se organizaran en una *vista,* en un panorama.

El Barroco constituye, ordena el mundo, como panorama. Por esta sencilla razón es por lo que tenía fatalmente que descubrir el urbanismo como arte y encontrar un instrumento que facilitara la posibilidad de crear el panorama donde antes no existía. De aquí que el urbanismo se ensayara primero en los jardines, cuyos trazados influyeron tan decisivamente en las ciudades y conjuntos urbanos.

El mundo como panorama lo encontramos lo mismo en un jardín de Le Nôtre que en un paisaje de Claudio de Lorena. Triunfo de la perspectiva. A él coadyuvan los tres principios de Lavedan. La línea recta conlleva la perspectiva, la uniformidad supedita lo particular a la ley del conjunto, única manera de mantener el predominio de la perspectiva. La uniformidad de la Rue Rivoli de París hace que nada perturbe la continuidad de sus líneas que huyen en perspectiva, provocando una fuerte impresión estética.

La perspectiva supone la contemplación del mundo desde un solo punto de vista, desde un ojo único que abarca todo el panorama. Es una manifestación del poder humano, del poder del príncipe. La visión focal o centralista coincide con la organización monárquica del Estado. Todas las residencias reales de la Europa del siglo XVIII, llámense Versalles, Nancy, Dresden, Carlsruhe, Copenhague, San Petersburgo o Aranjuez, responden a este tipo de ordenación perspectivista, en cuyo punto focal se encuentra el palacio de la realeza. En San Petersburgo, el nombre genérico de calle se sustituye a veces por el de perspectiva. La ciudad se convierte en la expresión de una realidad política.

Ahora bien, no olvidemos que tras la tendencia escenográfica del Barroco, escenografía montada para la exaltación del príncipe, de su palacio, de su estatua, existen otras empresas que denotan una grandeza y nobleza de propósitos que no se deben olvidar.

Como ha dicho muy bien Valerio Mariani[7], durante todo este siglo se percibe un vigoroso impulso creador, fundado

en una generosa ambición social. No sólo se da forma a la
iglesia, al palacio del príncipe, al escenario puramente monumental, sino que se construyen hospitales, hospicios, barrios enteros o conjuntos de habitación, alamedas y paseos
para el disfrute de la colectividad, centros de enseñanza e
instituciones de cultura, puentes, manufacturas, etc.; y todo
ello incorporándolo dentro de un orden unitario y magnífico, como ingredientes de un sentido espacial y de un ambiente totalmente nuevos. Por la variedad de los problemas
que se acometen, por el ímpetu constructivo y la rapidez con
que se cumplen en beneficio de la colectividad, al Barroco
corresponde una parte importantísima en la constitución de
la ciudad moderna con todas sus exigencias de vida y arte.

Fig. 45. Dresden. Centro de la ciudad y palacio, llamado el Zwinger. Uno
de los más hermosos espacios del Barroco.

Fig. 46. Roma. Plaza de San Pedro. (Dib. del autor.)

No nos olvidemos que estamos en el siglo de la Ilustración y de las Luces, del despotismo paternalista y filantrópico. En un siglo en que empiezan a despertarse muchos problemas sociales, muchas inquietudes intelectuales y científicas que serán levadura para que fermente el mundo moderno.

Hay que reconocer que, en materia de urbanismo, el cetro, durante el período barroco, corresponde a Francia por

Fig. 47. Roma. Plazas de Santa Maria della Pace y de San Ignacio. (Croquis del autor.)

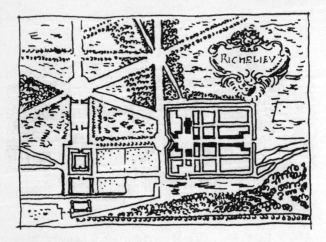

Fig. 48. Richelieu. Planta de la ciudad. (Croquis del autor sobre el graba-
do de Tassin.)

derecho propio. Después de los atisbos geniales de la Roma pa-
pal, después de las hermosas concepciones de la plaza del
Campidoglio de Miguel Ángel, de la columnata de Bernini, de
aquellas «sistematizaciones», pequeñas pero encantadoras, de
la plaza de San Ignacio y de Santa Maria della Pace, le toca deci-
didamente a Francia marcar la pauta. Francia es la nación poderosa, altiva y triunfadora, rica en recursos de todo género y
políticamente preponderante. El poder de su monarquía sólo
puede competir con el que a finales del siglo XVIII adquirirán
sus hombres de letras y de pensamiento, y todo ello compon-
drá una nación que se erige en ejemplo universal para el resto
de Europa. No es, pues, de extrañar que algo tan visible como
el urbanismo, tan unido al prestigio de las naciones y al grado
de adelanto de sus sociedades, se desarrolle también en Francia de una manera sobresaliente y ejemplar.

   Donde este urbanismo de gran estilo aparece por primera vez es en la ciudad-residencia de Richelieu, fundación del

Fig. 49. Versalles. (Dib. del autor.)

gran cardenal. Lavedan la llama prefiguración de Versalles.
Como en Versalles, la ciudad es consecuencia y viene en se-
guimiento del palacio. El año 1625, el mismo en que muere
el duque de Lerma, creador de otra ciudad-residencia, encarga al arquitecto Jacques Lemercier la construcción de su
palacio. Más tarde, hacia 1633, comienza la construcción del
poblado, separado respetuosamente del palacio. Se encierra
en un rectángulo perfecto y todo se plantea en simetría con
relación a la gran calle axial. Ya no se trata de una simple
cuadrícula, sino de algo concebido estéticamente, con sus

ejes, sus plazas, sus perspectivas. La arquitectura, de una
gran uniformidad, presta a todo un sereno equilibrio y armonía. Se puede decir que todavía, a pesar de la destrucción
del palacio y las inevitables transformaciones que trae el
tiempo, es la más bella de las ciudades regulares francesas.
Descartes la hubiera mirado con complacencia, pues esta
ciudad, coetánea suya, tan francesa y tan racional, parece
cristalización de sus propias ideas.

La importancia de Versalles nos ahorra el dedicar a tan
grandiosa creación de Luis XIV un espacio correspondiente
al monumento, que sería, en cambio, desproporcionado a
nuestra breve historia. Mucho se ha escrito sobre el palacio
y algo menos sobre la ciudad de la que forma parte indisolu-
ble. Sin poder descender a detalles, anotaremos que la fundación se puede fechar hacia 1671, diez años después del
comienzo de los grandes trabajos de ampliación del «Cha-
teau». El rasgo, sobre todos saliente, de esta urbanización
espectacular de gran aparato es el tridente de avenidas que
convergen en la plaza de Armas, antesala de honor de la
«Avant-Cour» del palacio. Todo parece indicar, he aquí al
Rey Sol, he aquí su solio. Nada se había planteado hasta la
fecha tan grandioso y en tan vasta escala. El tema del tridente ya conocía un anticipo notable: la Piazza del Popolo
de Roma. ¿Pudo servir de inspiración? Es muy verosímil.
Lanzado por Versalles se encuentra luego en Karlsruhe, en
Aranjuez, en Madrid, en Washington, en París (plaza de la
Ópera), en Londres (plaza de Buckingham) y en un sinnú-
mero de composiciones urbanas de los siglos XVIII y XIX.

Acaso el conjunto más celebrado del urbanismo dieciochesco francés sea la ciudad de Nancy. En 1737 Stanislas
Leczinski, rey de Polonia destronado, recibió de su yerno
Luis XV el ducado de Lorena durante su vida. Éste fue el origen de la parte monumental de la ciudad. Con el deseo de
elevar una estatua a su yerno y protector mandó construir la
Plaza Real enlazada con la plaza de la Carriere y, a través de

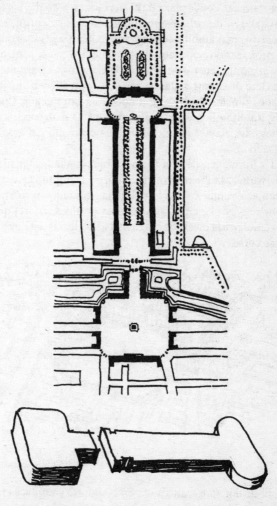

Fig. 50. Nancy. Plano del conjunto de las plazas Real, de la Carriere y de la Herradura, y esquema de los volúmenes resultantes de llenar estos espacios. (Dib. del autor.)

una alameda, con la plaza de la Herradura. Esto dio lugar al más bello eje del urbanismo monumental barroco, que relaciona diversos ámbitos, enhebrados con un sentido exquisito, procurando sensaciones espaciales diversas, dentro de una armonía general y una axialidad rigurosa. Su arquitecto fue Heré de Comy. Todas las residencias reales y principescas de Francia, llámense Fontainebleau, Compiegne, Chantilly, Rambouillet, Vaux-le-Vicomte, participan con sus jardines, sus plazas, sus ejes, de este desarrollo del arte del trazado urbano.

La influencia llegó a toda Europa, a Viena, Potsdam, Karlsruhe, Manheim, San Petersburgo, Hampton Court, La Granja, Aranjuez y otras pequeñas ciudades-residencia, donde reyes, príncipes, arzobispos y grandes señores quieren emular, a la escala de sus fuerzas, las glorias del Rey Sol y de su corte.

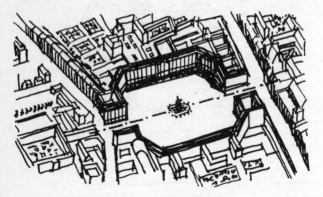

Fig. 51. París. Place Vendôme. (Dib. del autor.)

El urbanismo francés del gran siglo se complace en un tema que el Barroco adoptará con entusiasmo: la plaza monumental dedicada a servir de cuadro a la estatua de un rey. Se conjuga en este tema el afán de magnificencia propio del urbanismo barroco y el deseo de exaltar la monarquía centralista, vértice de todo el sistema político preponderante.

Algunos han considerado que la primera plaza francesa de este tipo fue la plaza de los Vosgos, también llamada Place Royale. Pero no es así. La plaza de los Vosgos no se pensó para ninguna estatua. La estatua vino después. En ese aspecto es más bien una plaza emparentada con nuestras plazas mayores regulares, como las de Madrid y Salamanca.

Las primeras plazas de este tipo que ahora nos interesan son las proyectadas por J. H. Mansart para honrar a Luis XIV. Una de ellas es enteramente circular, la Place des Victoires (París); otra semicircular, la de Dijon, y la tercera y más importante rectangular achaflanada, la Place Vendôme o de Louis le Grand.

Esta última, de todo el mundo conocida, es la obra maestra del género y una de las más bellas plazas barrocas del mundo. El tener sólo dos calles de acceso en el mismo eje la convierte en un espacio casi cerrado, donde todo se supedita a la nobleza de la arquitectura y la proporción. En ninguna parte como aquí percibimos cuál es el motivo esencial: servir de marco solemne a una estatua ecuestre. La plaza se construyó entre 1685 y 1699, año en que se colocó la estatua de Luis XIV, obra maestra de Girardon.

A París siguieron las ciudades de provincias, deseosas de honrar la memoria de Luis XIV. Algunos propósitos quedaron en mero proyecto, pero otros llegaron, con más o menos retraso, a realizarse; tal es el caso de las plazas de Caen, Rennes y Montpellier. Pero para entonces había subido al trono Luis XV y parecía también obligado honrar al monarca felizmente reinante.

Solamente para estudiar las posibles plazas dedicadas a Luis XV publicó Patte su célebre obra[8], que podemos considerar como un verdadero tratado del urbanismo barroco monumental. Entre tantos proyectos y realizaciones citaremos sólo algunas de las grandes plazas dedicadas a Luis XV.

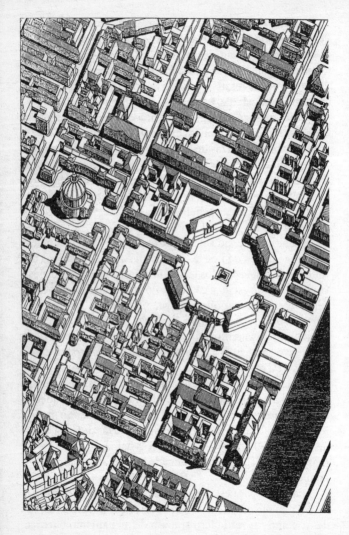

Fig. 52. Copenhague. Amalienborg Platz y barrio circundante. (Rasmussen, *op. cit.*)

La más famosa de todas ellas es la plaza de la Concordia de París, y acaso la más bella entre las de provincias la de Burdeos, abierta por uno de sus lados al Garona. La de Rennes es muy original porque la estatua se acoge a un fondo arquitectónico escenográficamente compuesto. La ya citada de Nancy y la de Reims son también importantes.

Fuera de Francia, la plaza Royale de Bruselas, la plaza Amalienborg de Copenhague y la del Comercio de Lisboa son las mejores creaciones de este tipo. La plaza octogonal de Copenhague, cortada por dos ejes, uno de ellos sirviendo de perspectiva a una gran iglesia rotonda, es una de las más admirables composiciones urbanas de todo el siglo XVIII.

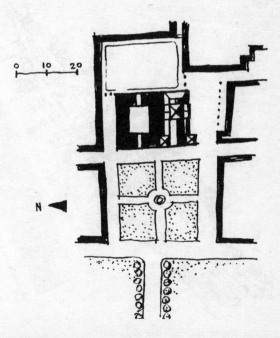

Fig. 53. Nuevo Baztán (Madrid). Planta. (Croquis del autor.)

El antiguo Terreiro do Paço de Lisboa, convertido por
Pombal después del terremoto de 1755 en una plaza monumental a la moda barroca del momento, sirvió de marco
grandioso, continuando las ideas del urbanismo francés, a la
estatua ecuestre de José I, obra de Machado de Castro. Por su
disposición abierta con respecto al estuario del Tajo, recuerda algo a la plaza de Burdeos.

El urbanismo dieciochesco en España oscilaba entre las
tradiciones locales y las corrientes afrancesadas venidas de
fuera. Todavía hacia 1710 construyó José de Churriguera,
para la familia Goyeneche, la ciudad-residencia de Nuevo
Baztán en las inmediaciones de Madrid. Es, en cierto modo,

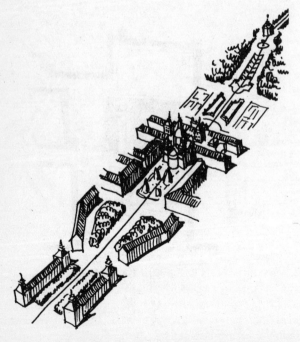

Fig. 54. La Granja. Eje longitudinal de la composición . (Dib. del autor.)

una ciudad-cortijo y un excelente ejemplo de urbanismo barroco castizo.

Las nuevas corrientes del urbanismo monumental europeo entran en Madrid de la mano de Carlos III, que promue-
ve la ordenación del paseo del Prado regularizando su trazado, ornamentándolo con grandiosas fuentes y rodeándolo de
notables edificios. Las obras comenzaron en 1768 y, desgra-
ciadamente, no pudieron completarse del todo. El siglo XIX
y el XX han desfigurado casi completamente los trazados
dieciochescos. El Salón del Prado dio origen a la creación de
una serie de alamedas por toda España, como las de Málaga,
Priego, paseo del Salón de Granada, alameda de Apodaca de
Cádiz, el Espolón de Burgos, alameda de Hércules de Sevi-

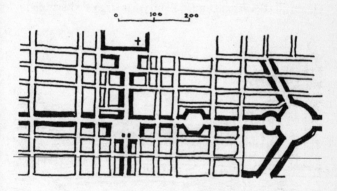

Fig. 55. La Carolina (Jaén). Plano. (Dib. del autor.)

lla, paseo de Isabel II de Barcelona, etc. Sitios reales como La
Granja y Aranjuez recogen las ideas imperantes en la época y
trasladan a España las formas urbanísticas propias de las *Re-
sidentzstädt* europeas. El conjunto de La Granja está verte-
brado por un gran eje que preside la cúpula de la colegiata.
Es un Versalles en donde el rey, respetuoso con las costum-

bres españolas, se coloca detrás de la iglesia. La composición de los espacios encadenados por este eje es muy acertada y expresa admirablemente las ideas barrocas sobre la gran perspectiva.

En Aranjuez, donde los Austrias ya habían realizado grandes obras, sobre todo Felipe II, se fue construyendo un poblado que, en su trama general, obedece al simple emparrillado, pero en el que se introducen elementos nuevos, como las grandes avenidas radiales, formando tridentes a ambos lados del palacio. La influencia de Versalles no puede ser más clara. Otro elemento urbano notabilísimo de Aranjuez es la plaza de San Antonio, con el fondo de la pequeña, pero bella, iglesia de Bonavia en el centro de un plano ondulado de arquerías. La plaza de San Antonio, en cambio, se reclama hija del urbanismo italiano y, a la larga, de Bernini. En

Fig. 56. Bath (Inglaterra). Royal Crescent. (Dib. del autor.)

conjunto, Aranjuez es nuestra mejor ciudad barroca diecio-
chesca. Es lástima que su antigua uniformidad urbana, sus
manzanas de gran extensión y escasa altura, se vaya rompiendo con impropias construcciones modernas.

En el urbanismo dieciochesco español merecen destacar-
se los nuevos poblados de la colonización de Sierra Morena y
otras zonas andaluzas llevados a cabo durante el reinado de
Carlos III y con el impulso de Olavide. Urbanísticamente la
planificación más interesante es la de La Carolina (Jaén).
Dentro de un plano en cuadrícula se introducen ejes pers-
pectivos relacionando plazas rectangulares, hexagonales y
circulares bien valoradas por una arquitectura secilla y uniforme[9].

Inglaterra queda un tanto al margen del urbanismo barroco; en cambio, algunas composiciones de este período
anticipan las tendencias que prevalecerán en el neoclasicismo. La gran ciudad balneario, Bath, creación genial del arquitecto John Wood, es uno de estos casos. Su geométrica
organización, a base de plazas circulares y semicirculares
(Crescent), la estricta uniformidad de sus edificaciones y el
clasicismo de sus fachadas ligan perfectamente esta ciudad
de la segunda mitad del siglo XVIII con los conjuntos urbanos en gran escala de John Nash en Londres, la urbanización
de Regent Park, por ejemplo, que es una de las mejores realizaciones del neoclasicismo.

En Roma, el barroco enlaza con el neoclásico en la «siste-
matización» de la plaza del Pópolo, obra de Giuseppe Vala-
dier. San Petersburgo es, entre las grandes ciudades, aquella
en donde el barroco tardío y el neoclasicismo se asocian
para formar conjuntos de sorprendente amplitud y monumentalidad. La plaza del Senado o de Pedro el Grande, concebida en tiempos de Catalina II para colocar la estatua del
fundador de la ciudad, obra genial de Falconet, es el foro de
San Petersburgo. Junto a ella, la plaza del palacio de Invierno amplía el centro monumental, que tiene por punto focal

el edificio del Almirantazgo. Tres grandes vías radiales convergen en la torre del Almirantazgo: la perspectiva de la Ascensión; la perspectiva del Almirantazgo y la famosa perspectiva Nevski. Alejandro I, ya en plena época neoclásica, completa la obra de Catalina.

En el París neoclásico, es decir, el de Napoleón I, abundan más los proyectos que las realizaciones. La apertura de la Rue Rivoli, los comienzos de la ordenación del espacio comprendido entre el Louvre y las Tuileries, la pequeña Rue des Piramides y poco más es lo que el emperador puede acometer en su fantástica carrera.

Pero el impulso estaba dado y años después aparecería el artífice capaz de llevarlo a cabo. Nos referimos al prefecto Haussmann, que llegó a la alcaldía de París en 1853. La labor de este hombre es colosal, y lo realizado en un plazo de veinticinco años parece inverosímil. Sólo una tenacidad sin desaliento y unas dotes de administrador excepcionales pudieron lograrlo. Urbanísticamente hablando, Haussmann es un conservador y sigue la línea estética del Barroco con sus alineaciones y grandes perspectivas. Haussmann no trazó ninguna avenida sin contar con un fondo arquitectónico, con un edificio monumental que cerrara la visualidad. Tuvo el talento de aprovechar todos los edificios singulares de París y cuando no los había el de crearlos, como sucede con la Ópera de Garnier. A la vez que embellecía la ciudad, abría comunicaciones vitales en una aglomeración que empezaba a crecer desmesuradamente. Estas comunicaciones tenían también un valor estratégico. Se ha insistido mucho sobre que uno de los objetivos de Haussmann era de índole policíaca: poder acudir rápidamente con la fuerza allí donde se producía un motín o un disturbio cualquiera.

El París del barón Haussmann, con sus grandes avenidas radiales herederas del Barroco, con su arquitectura estrictamente uniformada, siguiendo la estética neoclásica, que sólo podía alterarse en los edificios singulares, es el mejor ejem-

Fig. 57. París. Perspectiva de la avenida de la Ópera. (Dib. del autor.)

plo de la opulenta ciudad burguesa del siglo XIX, de la Ville
Lumière.

Entre los pocos conjuntos neoclásicos que se llevaron a
cabo, deben figurar algunos de la ciudad de Múnich, que co-
noció un grandioso desenvolvimiento urbano en los reina-
dos de Luis I y Maximiliano II. La Karolinen Platz y la Ko-
nigs Platz, trazadas por Von Klenze entre 1854 y 1862 y
rodeadas de edificios neoclásicos, como los Propileos y la
Gliptoteca y la romántica Maximilian Strasse, siguen siendo,
a pesar de los cambios sufridos, ordenaciones de gran belleza y carácter.

En España poco pudo hacerse en una época de crisis y debilidad, después de las desvastadoras guerras napoleónicas.
Como en toda Europa, encontramos más proyectos que realizaciones. Las reformas madrileñas del tiempo de José Bonaparte quedaron en el papel, pero su arquitecto, Silvestre
Pérez, refugiado en las Provincias Vascongadas durante el
reinado de Fernando VII, pudo llevar a cabo dos plazas neoclásicas regulares, las de San Sebastián y Bilbao, de gran interés. En esa línea pueden figurar la Plaza Nueva de Vitoria,

Fig. 58. Vitoria. Plaza Mayor. (Dib. del autor.)

de Olaiguibel, y la más moderna Plaza Real de Barcelona. En España, por tanto, perduraba la no interrumpida tradición de nuestras plazas mayores completamente cerradas y de uniforme arquitectura.

Después de la destrucción e incendio de San Sebastián en 1813 surgieron algunos planes ambiciosos para su reconstrucción, como el de Ugartemendia, del más genuino estilo neoclásico. Proyectos como éste y como el del puerto de la Paz en Bilbao, de 1801, son el precedente de los planes de ensanche de nuestras ciudades en la segunda mitad del siglo XIX. También la ciudad de San Sebastián fue de las primeras en preparar un plan de ensanche que esta vez, afortunadamente, se realizó. Cortázar y Saracíbar fueron los arquitectos que obtuvieron el primero y segundo premio en el concurso promovido a tal efecto y en ambos proyectos, mejorándolos, se apoya la realización. Esto dio lugar a una de nuestras mejores, más bellas y armoniosas ciudades modernas. Los planes de Castro para el ensanche de Madrid (1860) y de Cerdá para el de Barcelona (1860) fueron los instrumentos que posibilitaron, y esto debemos agradecerles, el gran desarrollo urbano de nuestras dos grandes metrópolis[10].

Lección 8
La ciudad industrial

El último y fundamental cambio que han sufrido las ciudades en los tiempos modernos ha sido ocasionado por esa compleja serie de acontecimientos que se ha llamado la revolución industrial; aunque en realidad no sólo ha sido estrictamente industrial, sino también una revolución en la agricultura, en los medios de transporte y de comunicación y en las ideas económicas y sociales.

Como preparación doctrinaria a esta revolución en los sistemas y formas de producción, surgió en Inglaterra un movimiento filosófico-social cuyas principales figuras fueron Adam Smith (1723-1790), Jeremías Bentham (1748-1832) y Stuart Mill (1806-1873), cuyas doctrinas constituyeron la base ideológica del nuevo desarrollo industrial y capitalista. Los postulados del utilitarismo cantado por Jeremías Bentham partían de la noción de que la Providencia regía la armonía económica siempre que el hombre no interviniese demasiado torpemente en el desarrollo interno de la misma. La industria venía a ser el sistema autorregulador que lograba el equilibrio de todos los esfuerzos dispersos e inconexos de los individuos, guiados por el incentivo de la ganancia pecuniaria.

En la misma tendencia, Adam Smith, abogado de la política del *laissez faire,* aparece como el padre de la economía capitalista del período liberal. Con anterioridad incluso a la máquina de vapor, descubierta por Watt en 1775, ya se inicia un desarrollo industrial de verdadera importancia que tiene una de sus bases en la subdivisión del trabajo.

Según el propio Adam Smith, «el mayor avance y perfeccionamiento de la potencia productiva, y la destreza, habilidad y buen juicio con que esta potencia debe ser dirigida o aplicada, parece que ha sido consecuencia de la subdivisión del trabajo *(division of labor)*». De acuerdo con el conocido ejemplo de Adam Smith, diez personas reunidas en un taller para la manufactura de alfileres y repartiéndose las diversas operaciones de este trabajo son capaces de hacer 48.000 alfileres en un día. Por consiguiente, cada persona, haciendo una décima parte de ese trabajo, se puede considerar que fabrica al día 4.800 alfileres. Sin embargo, si un individuo tuviera que hacer solo y aisladamente todas las operaciones, seguramente, dice Smith, no podría ni siquiera realizar veinte, posiblemente ni un alfiler en un día[1].

La subdivisión del trabajo fue no solamente la que permitió este desarrollo cuantitativo, sino la que asimismo dio origen al desarrollo y al perfeccionamiento de las máquinas, ya que un hombre ocupado constantemente, a veces toda la vida, en ejecutar una operación mecánica, acababa por encontrar el sistema de facilitarla mediante nuevos dispositivos o mejoras sustanciales en la maquinaria existente.

El industrialismo se desarrolló primeramente en Inglaterra, y sobre todo en la industria textil, para la cual el clima y otras condiciones del país eran altamente favorables. En un principio las fábricas textiles eran movidas por energía hidráulica y, por consiguiente, no se hallaban concentradas en puntos determinados, sino extendidas a lo largo de corrientes fluviales en los sitios en que era posible el establecimiento de molinos, para conseguir la energía requerida. Las inven-

ciones se sucedieron con rapidez y la producción fue enor-
memente aumentada gracias a la gran cantidad de trabajadores empleados, que podían ocuparse de las diversas operaciones de fabricación. Como dice Adam Smith, lo único
que limita o condiciona la subdivisión del trabajo es la extensión del mercado para dicho trabajo. Si no existe un mercado suficientemente amplio, es imposible llevar esta subdivisión del trabajo a los límites tan estrictos a que se llevó en
la economía capitalista. Por ejemplo, el carpintero de un
pueblo se verá obligado a realizar todos los trabajos relacio-
nados con la madera si quiere subsistir en tan pequeño mercado. Tendrá que hacer de carpintero de armar, de ebanista,
de tallista, de constructor de carros o de ventanas. Este mismo carpintero, sin embargo, en una gran ciudad podría de-
dicarse a la construcción de un solo elemento, que luego podrá trocar en el mercado por los productos que necesite,
obteniendo siempre una ganancia efectiva, ya que dedicán-
dose a la construcción de un solo objeto su producción au-
mentará considerablemente. Por consiguiente, el desarrollo
industrial, para que prosperara, tuvo que coincidir con la
extensión cada vez mayor de los mercados económicos.
Pudo desarrollarse el industrialismo británico de los textiles
gracias precisamente al imperialismo, que había abierto un
ancho mercado para todos estos productos.

Con la aparición de la máquina a vapor pudo lograrse
una concentración industrial en forma tal que favorecía extraordinariamente la producción en masa. Antes, como hemos dicho, las industrias textiles estaban situadas a lo largo
de los cauces fluviales de manera que, sin estar dispersas del
todo, estaban repartidas longitudinalmente. Ahora, con la
máquina de vapor, podía lograrse una concentración pun-
tual, es decir, agruparse las factorías en sitios determinados,
lo que dio lugar al fabuloso crecimiento de las grandes ciudades industriales. Manchester, que en 1760 tenía entre 30
y 45.000 habitantes, en 1800 creció, gracias al empleo de la

máquina de vapor, hasta alcanzar 70.000 habitantes, de los cuales 10.000 eran emigrantes irlandeses, atraídos por el desarrollo industrial de la gran urbe. En 1830, la inauguración del Manchester and Liverpool Railway trajo otro considerable crecimiento urbano. Hacia 1850, la población contaba con cerca de 400.000 habitantes. Así creció una de las primeras grandes ciudades industriales.

Junto con la división del trabajo, la mecanización y la posibilidad de obtener fuentes de energía, el desarrollo de los medios de transporte fue otro de los factores fundamentales para que prosperara el industrialismo y, con ello, los grandes centros fabriles. El transporte era precisamente el instrumento que permitía la expansión del mercado económico, imprescindible para esta producción en masa. El sistema industrial dependía del transporte, tanto para la aportación de materias primas como para la distribución a los consumidores del producto terminado. Antes de la invención de la máquina de vapor el transporte pesado tenía que servirse de las vías marítimas y fluviales. Es bien conocida la importancia que tuvo para el desarrollo de Nueva York la apertura del canal de Eirie, que une el puerto de Nueva York, de condiciones naturales extraordinarias, con el interior del país, y que permitió el crecimiento de la gran ciudad comercial y portuaria antes del nacimiento del ferrocarril. Las ciudades con puerto, debido a las facilidades que éstos proporcionaban al comercio, adquirieron un desarrollo inusitado, llegando a ser centros de conjunción de las principales vías, tanto marítimas como terrestres. Así crecieron Liverpool, Londres, Hamburgo, Amberes, Nueva York y Baltimore. Con el aumento de calado de los grandes barcos movidos a vapor, los pequeños puertos cayeron en desuso, absorbidos por aquellos que reunían condiciones naturales y estaban, además, equipados con grúas, depósitos, apartaderos de ferrocarriles, etcétera. Por el hecho de haberse concebido con clarividencia en el siglo XVIII la importancia que para Liverpool habían de tener los muelles, mercados y depósitos portuarios, esta ciudad obtuvo un lugar primordial en el comercio. Al mismo tiempo, estos centros de comunicación, adonde acudían las materias primas, el capital y mucha población desocupada, vieron crecer industrias cuyas perspectivas económicas eran más favorables que en otros lugares.

No hay que perder de vista que uno de los factores importantes que el nuevo sistema de producción en masa reclamaba era el suministro de trabajo humano, tratado casi como una mercancía en esta primera época, áspera y seca, del industrialismo. Era necesario tener a disposición un amplio stock humano, y cuanto más desvalido y miserable, mejor, ya que podía contratarse su trabajo en condiciones más favorables para el patrono. Sabida es la utilización de la mano de obra por un jornal de hambre, no sólo de estos miembros desvalidos de la sociedad, sino de los niños y de las mujeres, a los que podían pagarse jornales irrisorios. El procedimiento más sencillo para rebajar el costo de un producto era, indudablemente, rebajar los sueldos de los obreros. «A fin de tener el exceso necesario de trabajadores para hacer frente a las demandas extraordinarias de las temporadas activas, resultó importante para la industria instalarse cerca de un gran centro de población, pues en un pueblo el tener que mantener a los perezosos podía recaer directamente sobre el fabricante. El ritmo fluctuante del mercado fue lo que determinó la importancia del centro urbano para la industria. En efecto, para que los nuevos capitalistas pudieran tener los sueldos a un bajo nivel y hacer frente a cualquier demanda imprevista de productos, era necesario contar con un exceso de obreros mal pagados. En otras palabras, la cantidad suplantó a un mercado de trabajo eficientemente organizado. La aglomeración topográfica era un sustituto para un modo de producción bien regulado»[2].

De este modo, era natural que no solamente crecieran los nuevos centros fabriles o aquellas ciudades, como las de origen minero, colocadas al lado de los yacimientos, sino las mismas ciudades antiguas, las grandes capitales del período barroco, ya que en ellas se encontraba precisamente aquel exceso de población miserable tan útil en determinadas ocasiones al fabricante. Al mismo tiempo, estas ciudades reunían la ventaja de facilitar las relaciones con el poder político central, con las instituciones bancarias y con las bolsas de comercio, donde de antiguo estaba su sede. Así, es lógico que crecieran de una manera industrial las ciudades como París, Bruselas, Berlín y otras muchas que no habían sido originadas por la revolución industrial ni tampoco eran puertos de importancia. Por consiguiente, puede decirse que la revolución industrial afectó en vasta escala a todo el desarrollo urbano. Nos referimos, claro está, a las grandes ciudades cuya población excedía de los 100.000 habitantes. Pocas son las ciudades de esta magnitud, sobre todo en los países de economía más avanzada, que no hayan sido profundamente alteradas por este complejo de circunstancias que hemos llamado revolución industrial.

Esta revolución, como hemos repetido sucesivamente, dejó inermes las ciudades ante la tiranía de los instrumentos de la producción. Las factorías fueron las dueñas y señoras del suelo urbano y suburbano. Se colocaban en el punto más conveniente y más fácil de encontrar para su servicio. Si era necesario establecer una central térmica, para eso estaban las márgenes inmediatas de los ríos, aunque luego el humo y el acarreo del carbón destrozaran parajes que podían haber sido de gran belleza natural. Así se colocaron las centrales térmicas de Nueva York y de Londres.

Con las estaciones de ferrocarril, los *docks* y almacenes, los tinglados portuarios y todos los elementos que coadyuvan a los instrumentos de producción, pasó lo mismo. Se estableció todo, sin ningún plan orgánico, siguiendo la ley del mínimo esfuerzo, ya que se consideraba que todo aquello que facilitara la promoción industrial era de por sí bueno para el bienestar y progreso de las naciones. Sólo mucho más adelante se comprendería lo erróneo de un planteamiento originado por una visión simplista y de corto alcance. La violenta apropiación espacial llevada a cabo por la industria supuso para la estructura urbana una verdadera catástrofe, mientras que a los pocos años no representaba tampoco ninguna ventaja para ella. Claro está que tampoco podemos reprochar a una época una falta de visión que solamente *a posteriori* puede considerarse como tal. Ahora estaremos, y sin duda estamos, cometiendo otros errores que se reputarán así a la altura de los acontecimientos que han de sucedernos y que ahora somos incapaces de medir.

Con las factorías y todos sus establecimientos anejos, destacan en la ciudad industrial los llamados barrios obreros, construidos por la ineludible necesidad de albergar a la mano de obra. En sus principios, estos barrios obreros, que los anglosajones llaman *slums,* se desarrollaron en condiciones verdaderamente ínfimas para la vida humana. Son una de las lacras que más afean a la ciudad industrial, una página verdaderamente siniestra en los anales de la habitación del hombre; la constante pesadilla de filántropos y reformadores sociales. En los diversos países tomaron formas y características diferentes, pero en todos tenían de común una fría y atroz regularidad y una gran densidad en cuanto al aprovechamiento del terreno. Con el criterio del más seco utilitarismo, se sacaba el mayor partido del suelo, prescindiendo de espacios libres y patios. Son famosos los primeros *slums* neoyorquinos: las filas de casas del *Railroad Plan* de 1850 con pocas luces a la calle y a un infecto patio trasero. La mayoría de los habitantes carecían de luz y ventilación. A esta solución inhumana siguieron otras con pequeños patios intermedios, las llamadas *Dumbbell houses,* que no eran más que un ligero alivio en medio de la subsistente gravedad. Así no era de extrañar que los índices de mortalidad crecieran aterradoramente. En Nueva York el índice de mortalidad infantil, en 1810, era de 120 a 145 por cada 1.000 nacimientos; en 1850 llegó a 180; en 1860 a 220, y en 1870 a 260. Todavía quedan en Nueva York muchos barrios formados por *Railroad houses* y *Dumbbell houses,* aunque se sigue una sistemática labor de demolición y saneamiento.

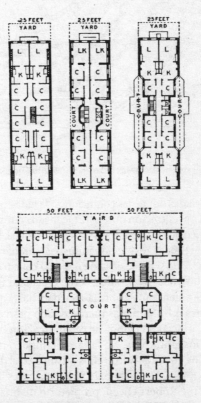

Fig. 59. Nueva York, *Railroad houses* (1850), *Dumbbell houses* de 1879 y de 1887, y proyecto de viviendas de 1889. (Gallion, *op. cit.*)

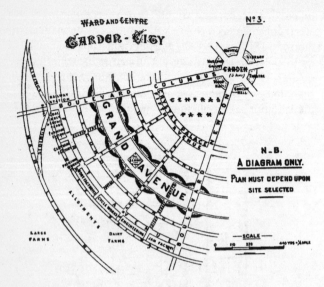

Fig. 60. Diagrama básico de la ciudad-jardín según Ebenezer Howard.

En barriadas donde las condiciones de vida eran atroces y donde la concentración obrerista alcanzaba cifras tan elevadas, es lógico que fermentara la subversión social. El siglo XIX, a la vez que trajo la revolución industrial, preparó la revolución social, que si no se desató en forma catastrófica en los países industriales avanzados, como creía Marx, se mantuvo siempre amenazante sobre la sociedad, hasta que aquellas condiciones infrahumanas fueron dando paso a otras más benignas, gracias a la labor de reivindicación de las Trade Unions y los Sindicatos. No faltaron tampoco industriales esclarecidos que se creyeron ellos mismos en el deber de corregir los males de que habían sido causantes. Uno de los primeros fue Robert Owen, propietario de una fábrica de textiles, que en 1816 planeó una ciudad de tipo colectivo, que combinaba la industria y la agricultura y que se sosten-

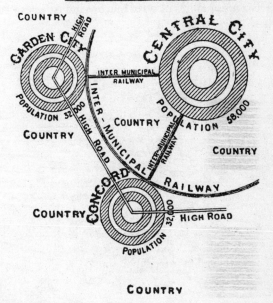

Fig. 61. Diagrama correcto del crecimiento de una ciudad según Ebenezer Howard.

dría económicamente así misma. Es la anticipación de las ciudades-jardín del siglo XX nacidas de las ideas de Ebenezer Howard que, como ejemplo, fundó las de Letchworth (1903) y Welwyn, que todavía subsisten y gozan de una vida próspera. En 1865, la familia Krupp comenzó a construir el

primero de sus pueblos modelos en sus factorías de acero de
Essen. George Cadbury, un fabricante de chocolate, construyó en 1879 la ciudad de Bourneville, con fines industriales y filantrópicos. Lo mismo hizo otro chocolatero francés,
Meunier, 1874 (Colonia de Noisel-sur-Seine). Los fabrican-
tes de jabón Lever Brothers construyeron Port Sunlight,
cerca de Liverpool, en 1886. Podríamos añadir a esta hon-
rosa lista los nombres de otros muchos industriales y compañías.

Fig. 62. Letchwwort. Una de las dos ciudades-jardín inglesas construidas
según los principios de Ebenezer Howard. (Lavedan, *Histoire de L'Urbanisme. Epoque Contemporaine.*)

Con estas fundaciones se intentó borrar el penoso recuerdo de las llamadas *company towns,* es decir, las ciudades
de las compañías, que han sido una de las consecuencias

más tristes del período industrial. Estas ciudades se establecían en los lugares de extracción de las materias primas: minas, bosques, etc. Los que allí habitaban, en cabañas y chozas, no tenían derechos civiles ni instituciones ciudadañas de ninguna clase. Vivían sujetos a la tiranía de un agente de la compañía, del que dependían para todas sus necesidades.

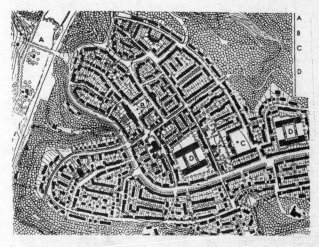

Fig. 63. Essen. Margarethen-Hohe. Ciudad-jardín fundada por la familia Krupp. (Gallion, *op. cit.*)

En España, el retraso industrial durante el siglo XIX evitó el nacimiento de las «ciudades carbón»[3], desarrolladas de la noche a la mañana en la Europa industrial y en los Estados Unidos. Sin embargo, la concentración de la población en algunas ciudades dio lugar a la consiguiente escasez de viviendas y al descenso de las condiciones de vida. En Madrid proliferaron desde fines del siglo XVIII las llamadas casas de corredor. Eran, y hasta hace muy poco seguían siendo (todavía perduran algunos ejemplos), las casas de los humildes,

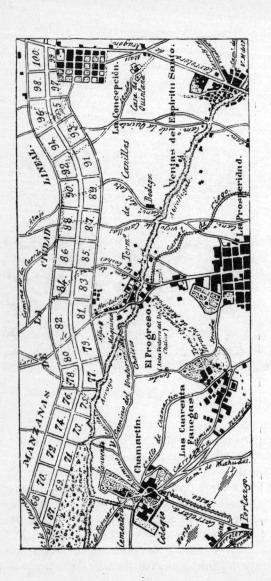

Fig. 64. Madrid. Ciudad Lineal.

donde vivían los trabajadores, mezclados también con algunos vagos o gentes de ocupación incierta. Como durante un tiempo apenas existía en Madrid una población obrera, estrictamente hablando, se trataba más bien de una población artesana, a la que la misma vivienda servía muchas veces de taller. En *Fortunata y Jacinta,* Pérez Galdós hace una pintoresca descripción de una casa de corredor en la calle de Mira el Río, cerca del Rastro. Es una de las casas que el novelista llamó de «tócame Roque», generalizando el nombre popular de una famosa de este tipo que existió en la calle del Barquillo. En aquellos patios de corredor, con la algazara de los chiquillos, los gritos de las comadres y las disputas matrimoniales, se mezclaban los martillazos de los zapateros, el convulsivo tiquitique de las máquinas de coser, el repiqueteo de los caldereros, los soplidos de la pequeña fragua, el ronquido de la sierra; la vida y el trabajo a la vez, en la ruidosa algazara. No eran estas casas, a pesar de sus ínfimas condiciones, las siniestras y lúgubres moradas de los trabajadores industriales, de los esclavos de las máquinas.

Andando el tiempo, también en España surgirían intentos de mejorar las condiciones del trabajador, tratando de proporcionarle una vida más salubre y humana. La preocupación por fomentar la vivienda obrera cristalizó por primera vez en la Ley de junio de 1911.

La congestión y las condiciones de vida, cada vez más precarias, en las ciudades modernas, sobre todo en aquellas fuertemente industrializadas, invadidas por el humo de las fábricas, amenazadas por los peligros de una circulación intensa, sin sosiego por la ruidosa civilización mecanizada, llevaron en todo el mundo a una nueva valorización de los ambientes campesinos y de la vida suburbana, siguiendo una tendencia que todavía perdura. Ruskin, Carlyle, Dickens, Engels, Geddes y Howard son algunos de los más conocidos apóstoles de esta reincorporación a la naturaleza. En España no debemos olvidar un intento muy considerable llevado a cabo por Arturo Soria y Mata en 1882. Nos referimos a la Ciudad Lineal, situada a siete kilómetros del centro de Madrid, y que va desde la carretera de Aragón al pinar de Chamartín, en una longitud de 5.200 metros. Ésta, que supone la contribución más original de España al urbanismo en el siglo XIX, ha sido más estimada en el extranjero que por nosotros. Es una fórmula, la de la Ciudad Lineal, que da una oportunidad de circunstancias análogas a todos los solares; que resuelve las comunicaciones con una vía única (hay que tener en cuenta que la concepción de Soria es anterior al automóvil); que permite una prolongación indefinida; y que pone la ciudad en estrecho contacto con el campo, ya que su carácter lineal no permite la concentración de edificaciones de espaldas a él. Hoy en día es una solución que no puede defenderse con carácter universal, pero esto no quita para su aplicación circunstancial y para que nos sintamos orgullosos de esta contribución nuestra al urbanismo decimonónico[4]. En 1930, Milyutin adoptó la solución de la ciudad lineal (de carácter no sólo residencial, sino industrial) para la planificación de Stalingrado. Se dice, y parece que no sin razón, que esta estructura lineal impidió que la ciudad pudiera ser tomada por los alemanes en la última guerra.

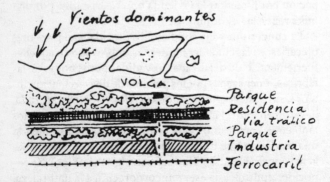

Fig. 65. Stalingrado. Croquis esquemático de la ciudad. (Dib. del autor.)

Salvo estos intentos loables de dar una estructura orgánica a la ciudad, los urbanistas del siglo XIX se atienen en la
mayoría de los casos al trazado de cuadrícula con aridez y
monotonía exasperantes, consecuencia de un espíritu estrictamente utilitario. Hemos visto que la cuadrícula apareció en los trazados hippodámicos como resultado del racionalismo griego; que luego la utilizaron los romanos por
razones militares y por necesidad de la colonización, como
lo hicieron después los españoles en América. En el siglo XIX
se vuelve a emplear, pero por otras causas: exclusivamente
por motivos de economía utilitaria, de especulación de terrenos. En Grecia, en Roma, en Hispanoamérica, estos trazados en cuadrícula, monótonos e indiferenciados, estaban
compensados por la existencia de centros cívicos dominantes, el ágora, el foro, la plaza mayor. En el siglo XIX el trazado
se extiende árido e igual, sin centros dominantes y sin espacios libres. Sólo domina el ansia rapaz de aprovechar todo el
terreno al máximo. Las calles son todas iguales, para de esta
manera poderse cotizar igualmente. Cuando la repartición
del terreno es desigual, es porque domina la función. No
debe ser igual el terreno para un sector representativo, para
uno comercial o para otro de viviendas. Cuando la repartición es igual, es porque sólo cuenta la pura posesión, indiferente de la función.

Durante el siglo pasado, a la vez que se formaban los
grandes capitales de la industria y del comercio, surgían los
de los especuladores en virtud del crecimiento de las ciudades. Enormes fortunas se cimentaron sobre esta especulación de terrenos, que en pocos años dejaban de ser tierras de
labor para convertirse en solares. Estos especuladores del
suelo dieron lugar a la ciudad inorgánica, a los ensanches
inorgánicos del siglo pasado. Cualquier otra solución funcional que no hubiera sido la simple cuadrícula habría daña-
do a sus intereses. Si todas las calles no eran de tráfico y
aproximadamente de la misma jerarquía, los valores del te-

rreno se verían peligrosamente afectados. Para una época
que apresuradamente parcelaba, vendía y construía barrios
enteros, nada podía ser más simple que el trazado de la cuadrícula. Cualquier oficina municipal o cualquier negociante
de solares podía llevar a cabo la parcelación y estimar de una
manera matemática su futuro rendimiento; las escrituras de
compraventa eran fáciles, y al replanteo de los lotes sobre el
terreno le pasaba lo mismo. Los postulados de la economía
liberal no podían coartar el libre y exhaustivo aprovechamiento del suelo, como lo habían hecho, por ejemplo, los
monarcas del «despotismo ilustrado», que elevaron las ciudades a un plano de esplendor y magnificencia notables.

El régimen capitalista, desarrollado como palanca para el
aprovechamiento de los recursos naturales, se utilizó también para la explotación del suelo. Grandes compañías o
grandes capitalistas entraron en juego, y los valores del terreno crecieron en proporción antes desconocida. La congestión producida por el aumento de población elevó el valor de los solares, que a la vez, por ser más caros, se
aprovecharon más cicateramente. Se produjo así un círculo
vicioso que sólo favorecía a los especuladores.

Un estudio de Hoymer Hoyt (*100 years of Land Values in
Chicago* University of Chicago Press, Chicago, 1933) nos da
el crecimiento del valor de las 211 cuadras que ocupa la ciudad y que ha sido el siguiente:

Años	$
1833	168.000,–
1836	10.500.000,–
1842	1.400.000,–
1856	125.000.000,–
1861	60.000.000,–
1897	1.000.000.000,–
1926	5.000.000.000,–
1932	2.000.000.000,–

El movimiento ascendente ha sido frenado solamente por depresiones ocasionales; pero a estos períodos de depresión siguen inmediatamente otros de recuperación e inflación. No se puede esperar una modificación de este ciclo –dicen los autores del estudio–, a menos que se limite la densidad de la población con un criterio funcional, por medio de disposiciones legales.

El *laissez faire*, que en la Edad Media había dado lugar a ciudades espontáneas, pero orgánicas, tanto por su lento crecer como por el predominio del instinto vital que les dio forma, produjo, en cambio, en el siglo XIX, una sustitución del organismo biótico por el mecanismo inorgánico. Es que a la libertad individual, que opera indistintamente en cooperación progresiva con otras individualidades, se superpuso la voluntad de una sola «compañía» que, amparada por la fuerza del dinero, podía actuar en gran escala. Los postulados del utilitarismo y de la libre competencia, ofrecidos como instrumentos a la voracidad de los especuladores, produjeron los aspectos negativos del urbanismo decimonónico, destructor de la evolución biológica de la ciudad a través de los siglos.

Pero no sólo eran estos aspectos negativos los que empezaban a caracterizar la transformación de la ciudad en el siglo XIX. Al lado de la ciudad industrial se levanta orgullosa la ciudad de la burguesía liberal, deseosa de demostrar el poder y las esclarecidas luces de una clase dominante. Podría decirse que el árbol frondoso de las más bellas estructuras urbanas burguesas hundía sus raíces en las zonas subterráneas y turbias de los *slums,* de los pavorosos suburbios industriales donde se hacinaban los trabajadores. De aquellas tinieblas, como de las profundidades de la tierra, provenía la savia que luego fructificaba en grandes avenidas resplandecientes de luz, en plazas ornamentadas con los monumentos a los grandes líderes del progreso, en grandiosos edificios representativos, en palacetes y zonas residenciales que respi-

raban desahogo y distanciamiento. La ciudad, partida en
esta cruel dicotomía, era la mejor imagen de las contradic-
ciones de la burguesía liberal. Una fe decidida en el progreso,
en la inagotable potencialidad de los medios de producción,
en las conquistas cívicas de un Estado que ha alcanzado, por
fin, una ética estable basada en la igualdad de derechos, eran
los aspectos positivos por los que la burguesía liberal se sen-
tía justamente ufana. Pero por debajo de todo esto, como
existen los *slums* por debajo de la *villa luz,* existe la vacila-
ción y la inexperiencia de una clase en formación, los aspectos sórdidos y mezquinos de una cruel explotación del hombre por el hombre. Frente a estas debilidades que, más o
menos conscientemente, trabajan y corroen a la sociedad
burguesa, ésta reacciona afirmando con seguridad y energía
la expresión de sus valores más sólidos. La ciudad burguesa
en sus centros representativos, en sus zonas residenciales de
alto nivel social, expone estos valores en estructuras estables
y coherentes, en arquitecturas que, por encima de otro de-
signio, quieren hacer valer y afirmar su dignidad.

Si el eclecticismo artístico del siglo XIX tiene un fundamento intelectual en el historicismo y en un nuevo concepto
del pasado, tiene también otro en la personalidad social de
la clase dominante. Esa dignidad, esa honorabilidad, a que
aspiraba por encima de todo el burgués, se la ofrecía mejor
que nada, de una manera fácil y asequible, el prestigio del
pasado. Para sus grandes edificios públicos, templos, parla-
mentos, ministerios, tribunales, teatros, museos, etc., las co-
lumnatas clásicas, las agujas góticas, las cúpulas barrocas,
eran algo así como una honorable prueba de limpieza de
sangre. Posiblemente en ninguna época de la historia se
construyeron más iglesias góticas que en el siglo XIX.

Una cosa análoga sucedió con los barrios residenciales
más elegantes. «Basta recordar –dice Giuseppe Samoná en
un libro reciente– la difusión del eclecticismo pretencioso y
anacrónico, basado en la idea de poder caracterizar cada

edificio con un estilo apropiado o esquemáticamente deri-
vado de formas arquitectónicas del pasado, con objeto de
hacer más decorosa la casa y añadir distinción a la honorabilidad de la familia»[5].

En efecto, si la burguesía no hubiera sustituido a la aristocracia en el gobierno de la sociedad, acaso el eclecticismo no
hubiera tenido lugar, o por lo menos su desarrollo hubiera
sino infinitamente menor. La aristocracia no necesita del pasado. Por eso, artísticamente hablando, la postura histórica
de la aristocracia ha sido esencialmente renovadora. Quien
más estima los pergaminos y las ejecutorias es quien no los
tiene. El eclecticismo arquitectónico fue un despliegue, muchas veces empalagoso, de títulos de nobleza recién adquiri-
dos, demasiado frescos. La nueva y poderosa burguesía los
exhibió con esa falta de pudor y de medida propia de los
nuevos ricos.

Sin embargo, estos honorables sectores de ciudad, que
podemos llamar burgueses, son, desde el punto de vista del
urbanismo, verdaderamente excelentes[6]. La burguesía liberal se acreditó como gran constructora de ciudades; y si sus
creaciones artísticas individuales no rayan a gran altura,
supo organizar admirablemente las ciudades que son y deben ser empresas colectivas. Después de los urbanistas
ochocentistas, que tienen logros positivos en su haber, los
que han venido después no han sabido encontrar el camino.
Está más que probado que las generaciones últimas son impotentes para lograr dar coherencia a un tejido urbano que
satisfaga a la par las exigencias funcionales y las necesidades
de una vida cívica, plena y activa.

La ciudad del ochocientos, en cambio, lo consiguió, tanto
cuando operó sobre los antiguos núcleos representativos del
centro de las ciudades como cuando abrió cauce a los nuevos
barrios residenciales en los llamados ensanches. Sobre los
núcleos antiguos se actuó muchas veces con energía, pero
siempre con respeto a los trazados tradicionales, lo que evitó

que se perdiera la adecuación entre trama urbana y forma de
vida que es esencial para constituir un verdadero organismo
ciudadano. Como casi siempre que se trata de realizaciones
urbanas decimonónicas, el impulso reformador se cifra en el
deseo de dignificar lo existente, dignificación que equivalía,
con demasiada frecuencia, a una regularización y a una ampliación de escala. Así se consiguieron grandes realizaciones, pero también algunos fracasos. Ejemplo de lo primero
la organización del gran eje de París: Louvre-Tullerías-Con-
cordia-Campos Elíseos-plaza de la Estrella. Sobre una base
tradicional, pero todavía fragmentaria, el siglo xix completó
una ordenación única en el mundo. Aquí el prurito de dignificación, de regularidad y de amplitud de escala se adapta al
tema como anillo al dedo. Sin embargo, en la «sistematiza-
ción» de la isla de Notre-Dame los mismos criterios fracasa-
ron. Un exceso de regularidad, de monumentalidad y de escala privaron a la catedral gótica de su entorno propio y la
empequeñecieron.

En lo que se refiere a los ensanches y a las urbanizaciones
residenciales, también se consiguieron, sobre todo antes de
que empezara la gran especulación, éxitos notables. Los palacetes de la burguesía opulenta, con sus volúmenes propor-
cionados y rodeados de jardines, bordeando amplias avenidas arboladas, cuentan entre las más afortunadas creaciones
del siglo xix. Sin embargo, estos barrios residenciales apenas iniciados ya sufrieron el impacto de la especulación, que
trajo como consecuencia el aumento progresivo de los volúmenes edificados[7].

Lección 9
La ciudad del presente.
El urbanismo en expansión

El gran desarrollo de las ciudades y de las formas de vida urbana es uno de los fenómenos que mejor caracteriza nuestra civilización contemporánea. La ciudad, ya lo hemos visto, no es un hecho nuevo. Lo que sí resulta algo nuevo es la transformación verificada a lo largo del siglo pasado y en lo que va de éste, que ha tenido por consecuencia que una población mundial predominantemente rural se vaya convirtiendo en otra predominantemente urbana.

Europa, que hacia 1800 tenía una población urbana que no pasaba del 3 por ciento, ha alcanzado ya el 50 por ciento. Los Estados Unidos, que en 1800 contaba con una población urbana que representaba el 6,1 por ciento de la total, cien años más tarde llegaba al 39,7 y en 1960 al 69,9 por ciento.

Antes de 1800 sólo había 21 ciudades en todo el mundo que pasaban de los 100.000 habitantes, y todas en Europa. En 1927 Mark Jefferson registró la existencia de 537 que pasaban de las 100.000 almas y que, por consiguiente, podían considerarse como grandes ciudades. De éstas la mitad en Asia y 90 en Norteamérica[1].

Jefferson estableció el siguiente cuadro de la urbanización por continentes en 1927:

CUADRO 1

Nombre del continente	Grandes ciudades (más de 100.000 h.)	Porcentaje de la población total que vive en grandes ciudades
Australia	9	44
Norteamérica	90	24
Europa	182	19
Sudamérica	20	11
Asia	224	5
África	12	2,5

Por este cuadro nos damos cuenta de que los continentes más urbanizados son los más modernos, Australia y Norteamérica. En cambio, Europa presenta un porcentaje menor, sólo el 19 por ciento, lo que indica la persistencia en este continente de la homogénea distribución de la población, que tuvo, y aún tiene, una base agraria, y también el hecho de que en Europa existan multitud de ciudades pequeñas.

En cambio, en regiones nuevamente colonizadas, como Australia, la población se ha asentado en un grupo de grandes ciudades que absorben casi la mitad de la población total. Esto puede ser debido a varias causas: a que nuestra cultura de hoy es primordialmente urbana y los colonizadores, llevados de su experiencia en el país de origen, transportan sus propios hábitos al nuevo; a que las condiciones de la vida colonial favorecen la concentración en ciudades de la sociedad dominante; o a que la imposibilidad de una penetración continua y homogénea del país, con lo que esto supone de vías de comunicación, creación de núcleos urbanos, educación del pueblo, etc., se sustituya por una serie de grandes ciudades costeras, verdaderas metrópolis y emporios del comercio. Al fin y al cabo, ésta ha sido la eterna manera de colonizar, desde los fenicios y los griegos hasta nuestros días.

Para darnos cuenta del auge del urbanismo desde 1800 a

1930 en diversos países del mundo, nada mejor que la visión sintética que nos ofrece el cuadro siguiente[2]:

CUADRO 2

Nombre del país	Porcentaje de población en grandes ciudades		Número de grandes ciudades		Población de grandes ciudades	
	1930	1800	1930	1800	1930	1800
Gran Bretaña	49	10	58	1	22.900.000	865.000
Estados Unidos	45	0	96	0	55.000.000	
Australia	43	0	5	0	3.050.000	
Alemania	30	1	53	1	19.950.000	200.000
Argentina	30	0	8	0	3.750.000	
Canadá	22	0	7	0	2.320.000	
Francia	20	3	17	3	8.625.000	765.000
Italia	15	4	22	4	6.175.000	800.000
Japón	14	0	21	0	9.200.000	
Brasil	10	0	10	0	4.000.000	
México	8	0	4	0	1.400.000	
Rusia	7	1	31	3	11.000.000	500.000
Turquía	7	2	3	3	1.000.000	1.000.000
China	6	0	112	3	22.000.000	?
India	3	0	38	0	11.900.000	

Más adelante Kingsley Davis e Hilda Hertz expresan así el crecimiento urbano entre 1800 y 1950:

CUADRO 3

Año	Población mundial	Ciudades de 100.000 o más habitantes			Ciudades de 20.000 o más habitantes			Ciudades de 5.000 o más habitantes		
		Núm.	Poblac.*	%	Núm.	Poblac.*	%	Núm.	Poblac.*	%
1800	906	45	15,6	1,7	200	21,7	2,4	750	27,2	3,0
1850	1.171	85	27,5	2,3	660	50,4	4,3	3.400	71,9	6,4
1900	1.608	270	88,6	5,5	1.780	149,9	9,2	9.800	218,7	13,6
1950	2.400	875	313,7	13,1	5.509	502,2	20,9	27.600	716,7	29,8

* En millones de habitantes.

Según eso, en el año 1950 en ciudades de más de 20.000 habitantes vive en el mundo el 34 por ciento de su población[3].

Según Pierre George[4], se puede alcanzar una visión de la población urbana en el mundo clasificándola en diversos grupos que corresponden a porcentajes que saltan de 20 en 20.

Por debajo del 20 por ciento se clasifican regiones de vieja civilización, como la India (13 por ciento) y China; países atrasados de África –Eritrea, Somalia, etc.–, o incluso en Europa, una nación muy ruralizada como Yugoslavia (16,2 por ciento).

Entre el 20 y el 40 por ciento se encuentran varios países europeos de estructura agrícola, pero con grandes capitales comerciales e industriales: Polonia (31 por ciento) y Hungría (36 por ciento). América Central, Sudamérica (salvo Argentina) y Sudáfrica entran en esta categoría.

Entre el 40 y el 60 por ciento se encuentran países europeos como Francia, Italia, Suecia, la URSS, etc. En América, los Estados Unidos, Canadá y Chile.

Pasan del 60 por ciento: Bélgica, Dinamarca, Austria, Alemania, Argentina, Australia y Nueva Zelanda. Por último, Inglaterra se sitúa a la cabeza como el país más urbanizado del globo, con un porcentaje del 80 por ciento.

CUADRO 4

Menos del 5 %		5 a 10 %		10 a 20 %		20 a 30%		Más de 30 %	
Congo		Irak	5	Egipto	10	URSS	20	G. Bretaña	30
Belga	1,3	Irán	5	Bélgica	12	Palestina	20	Dinamarca	32
Indochina	2	Bulgaria	6,5	Grecia	12	Suecia	20	N. Zelanda	34
China	3,4	Yugoslav.	6,5	Brasil	13,8	Unión S.	21		
India	3,7	Estados		Checosl.	14	Canadá	21,5		
		andinos	7	Francia	15,4	Japón	22		
		Rumania	7,5	Irlanda	17	Australia	26,5		
		América C.		Suiza	17	EE UU	27		
		y Antillas	8	Italia	17,5	Austria	28,5		
		Turquía	8	Alemania	18	Países			
		Argentina	8,5	Hungría	18	Bajos	29		
		Finlandia	9,5	España	18,5				

El porcentaje de la población de ciudades de más de 100.000 habitantes en relación con la población total del país lo analiza Pierre George según el cuadro anterior.

Con relación a Europa, España ocupa un lugar destacado entre los países fuertemente urbanizados. Esta superurbanización radica en sus condiciones peculiares que impidieron desde siempre una diseminación homogénea de la población por razones históricas y geográficas.

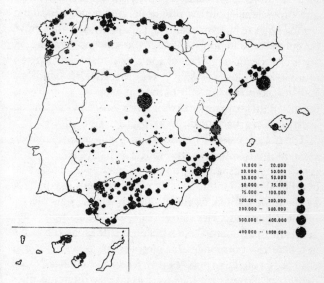

Fig. 66. Distribución general de las ciudades españolas, en 1950, según el sistema de Sten de Geer. (Estudio de Abascal Garayoa.)

En España los mayores núcleos de población se distribuyen en la periferia costera. Sólo la creación artificial de Madrid, como una necesidad de la política castellana para ejercer su imperio, modificó una estructura demográfica que, de no ser por esta voluntad decidida, hubiera sido muy diferente. Madrid fue primero la capital burocrática, pero esto, dado el proceso de industrialización acelerada al que se ha llevado al país en los últimos años, no hubiera bastado para mantener su hegemonía. En un país agrario o débilmente industrializado, Madrid hubiera podido mantener su rango con sólo mantener la centralización de poder que casi siempre tuvo, pero en una sociedad industrial fuertemente desarrollada a la larga lo hubiera perdido y tras el poder económico se hubiera marchado el poder político. Es indiscutible que un sistema político preponderantemente castellano como el que se ha instaurado en España después del breve paréntesis de la República, consciente o inconscientemente, se vería abocado a reforzar el grado de poder madrileño en todos los sentidos, y no sólo en el burocrático. Esto indica a las claras cómo no son sólo los movimientos económicos los que orientan la dinámica demográfica y consiguientemente la estructura urbana de un área o país determinado.

España por cada 10 millones tiene 7 ciudades de más de 100.000 almas, mientras que Francia sólo tiene 5,3. Según el censo de 1940, España cuenta con 16 ciudades que pasan de los 100.000 habitantes. En ellas vive el 18,5 por ciento de la población española, mientras que en Bélgica, país fuertemente urbanizado, vive sólo el 12 por ciento. Las típicas naciones de Centroeuropa están por debajo de España en lo que se refiere a los porcentajes. Inglaterra es un caso extremo con el 30 por ciento de su población viviendo en ciudades de más de 100.000 almas. Pero Inglaterra es un caso diferente, pues allí se conjugan la diseminación campesina, un campo superpoblado homogéneamente, con la concentración industrial de los grandes centros fabriles y con la existencia de una capitalidad, como Londres, consecuencia no sólo de la estructura del propio país sino de una realidad extranacional basada política y económicamente en la Commonwealth.

España seguirá, por tanto, más y más, tendiendo a la concentración humana en ciudades y en zonas superpobladas.

Hacia el año 2000, cuando verosímilmente podrá contar con 45 millones de habitantes, el 80 por ciento vivirán en ciudades, es decir, 36 millones. Los problemas del urbanismo en expansión crecerán en progresión geométrica.

Según el censo de 1940, la población española se dividía en tres grandes grupos, sensiblemente equivalentes. Las ciudades mayores de 20.000 habitantes componían un grupo equivalente al 35 por ciento de la población total; las de 5.000 a 20.000 otro, que equivalía al 31 por ciento; y las inferiores a 5.000 el último, que representaba el 34 por ciento. En el año 1900 estos porcentajes eran, respectivamente, el 21 por ciento, 28 por ciento y el 51 por ciento. El grupo más permanente es el de las poblaciones de 5.000 a 20.000 habitantes, grupo que supone un escalón intermedio entre la vida rural que desaparece y la vida plenamente urbanizada. Si logramos salvar, vigorizar y dar impulso a este grupo de ciudades, podremos resistir mucho mejor la hecatombe urbanística que se nos avecina, podremos también salvar en la medida de lo posible y de lo compatible con el progreso y el desarrollo económico la estructura orgánica del pasado y buena parte de un depósito cultural que debemos a todo trance preservar si tenemos espíritu clarividente, pues a la vez que el mundo avanza a galope tendido hacia la uniformidad e igualitarismo de las sociedades industriales, también se despierta, conforme aumenta la disponibilidad de ocio en las masas de una *affluent society,* el deseo de encontrar mundos diferentes e insospechados.

Nuestras pequeñas ciudades, que parecen tener unas ciertas probabilidades de subsistencia, pueden ser una tabla de salvación para que la marea del urbanismo multitudinario no lo anegue todo y para que cuando, serenadas las aguas, se piense que aquello que se destruyó no era signo y expresión lamentable de caducidad y atraso sino todo lo contrario, todavía quede algo de que echar mano sin necesidad de impropias falsificaciones.

Si se tiene en cuenta que las ciudades más importantes crecen a un ritmo doble del nacional (20 por ciento cada diez años) y que algunas comarcas crecen a razón del 15 por ciento, todo ello en detrimento del mundo rural, queda como escalón intermedio el de las ciudades medias que pueden convertirse en el futuro –y así sea– en piezas claves del organismo nacional. Según estos supuestos la población española podría organizarse según el siguiente cuadro:

CUADRO 5

	1900 (%)	1940 (%)	2000 (%)
Ciudades de más de 20.000 habitantes	21	35	50
Ciudades de 5.000 a 20.000 habitantes	28	31	20
Menos de 5.000 habitantes	51	34	30

En un reciente trabajo de Ángel Abascal Garayoa[5], podemos estudiar la evolución de la población urbana española en la primera mitad de este siglo con gran detalle. Podemos darnos cuenta de las corrientes migratorias, del descenso de la población rural y del ascenso de la urbana según las regiones o las provincias y de los índices de crecimiento de nuestras ciudades. A este respecto es curioso comprobar cómo no son las grandes capitales las que crecen más de prisa, sino otras que muchas veces están por debajo de los 100.000 habitantes. En este medio siglo las capitales de provincia de más rápido crecimiento han sido: León (282 por ciento con relación a su población de 1900), Orense (265 por ciento), Las Palmas (244 por ciento), La Coruña (240,3 por ciento), Albacete (233,8 por ciento), Salamanca (212,3 por ciento) y San Sebastián (200,9 por ciento). En cambio las de crecimiento más lento (alrededor del 50 por ciento) son Cádiz, Almería, Toledo, Cuenca, Teruel y Huesca.

Si estas predicciones se cumplen, la población urbana en España el año 2000 será el 80 por ciento de la población total. Ya que se entiende que el límite de la aglomeración rural está por debajo de 5.000 habitantes. Para los americanos suele estar en los 2.500 habitantes y algunos autores franceses adoptan la cifra de 2.000.

Pero aunque esta población urbana alcance el 80 por ciento, no cabe duda que no podemos considerar de la misma manera la población que vive en localidades medias, en-

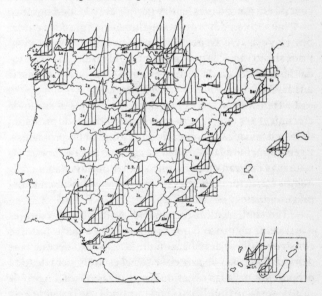

Fig. 67. Crecimiento de la población urbana española en la primera mitad del siglo XX. Comparación simultánea del crecimiento de las capitales (curva superior en trazo fino) y de las provincias sin ellas (curva inferior en trazo grueso). Cada división horizontal de 4 mm representa un período censal. Un milímetro de escala vertical equivale a un 5 por ciento. Base igual a 100. (Según Abascal Garayoa).

tre los 5.000 y 50.000 habitantes, y la que vive en aglomeraciones que pasan de los 500.000 o del millón de habitantes. Todos ellos son «urbanitas», pero de muy distinta condición. Siempre que estas previsiones se cumplan, podrá, pues, permanecer esa zona intermedia de aglomeraciones proporcionadas, que pueden asegurar un reparto menos inarmónico de la población y un asilo seguro para determinados valores tradicionales.

De todas maneras, lo que es el verdadero signo de nuestro tiempo es ese formidable crecimiento de los grandes centros urbanos, antes desusado porque el avance demográfico general era mucho más lento y porque ese plus demográfico no lo absorbían desproporcionalmente las grandes ciudades. Hoy éstas crecen por sí mismas (crecimiento vegetativo) y por absorción de la población rural. El resultado es que todas las grandes ciudades han entrado en lo que yo llamaría una fase de *transformación incongruente.*

La transformación es incongruente porque el ritmo de crecimiento es muy superior a las posibilidades de previsión de las autoridades, a su capacidad de asimilar los problemas, y generalmente a su cortedad de créditos para acometer las reformas de gran empeño que son las que ayudan a crear nuevas estructuras eficaces sin malgastar el dinero en reformas eventuales y de circunstancias.

«El crecimiento de la comunidad –ha dicho Anderson– es usualmente un proceso que camina trecho a trecho; aquí se construye, allá se derriba, aunque la actividad necesaria se demore. Las casas de una clase social estarán fuera de toda proporción para las necesidades de otras clases. La provisión de servicios públicos estará retrasada con respecto a las necesidades. El centro de la comunidad estará sobreconstruido, aunque se olviden las medidas necesarias para batallar con los problemas de circulación»[6].

La transformación incongruente comienza porque en la ciudad se va acumulando una población constante de emigrantes que azarosamente se distribuye en las franjas más miserables y abandonadas, invadiendo propiedades ajenas o zonas de inadecuadas condiciones urbanas. Esto dio lugar a las llamadas *bidonville* de las ciudades francesas o argelinas, a las chabolas o chabolismo español, a las famosas *favelas* brasileñas, a los *ranchos* venezolanos, etc. No hay ciudad en proceso de crecimiento agresivo que no haya sufrido o sufra

Fig. 68. Nueva York. Rockfeller Center. Un centro cívico planificado y con personalidad en medio de la ciudad amorfa. (Dib. del autor.)

estas patológicas manifestaciones. Como dice Roger Le Tourneur[7]: «Muchos de los recién llegados no pueden encontrar alojamiento y se establecen en zonas vacías, hacen un pequeño pago al dueño, construyen juntos abrigos precarios de telas embreadas y pedazos sobrantes de tablas con paredes de lata de petróleo ajustadas por los bordes. De aquí su nombre de *bidonvilles*. Las autoridades públicas no han podido abolir esta mancha de las ciudades norteafricanas, ya que el flujo de la población siempre ha sobrepasado sus medidas. En Casablanca, que tiene un récord nada envidiable, existe una *bidonville* de más de 45.000 habitantes». Hoy esta situación ha debido mejorar notablemente.

Estos barrios marginales serán para algunos el lugar donde empezar a subir, mientras que para otros serán el último escalón de un doloroso descenso. No cabe duda de que en estos barrios se codea lo bueno con lo malo, lo sano y lo enfermo, reservas de vitalidad que esperan su momento y su franco ascenso a la vida urbana, llena de estímulos competitivos para los fuertes, y despojos miserables que arroja a sus playas el fracaso tras una lucha inclemente. Aparte de esta población contradictoria de los que suben y de los que bajan, también existen tipos más estables, algunos de cariz poco recomendable, vagabundos, malhechores, delincuentes, proscritos, prostitutas, etc. Pero en general estos últimos están situados en franjas más internas, y pudiéramos decir que están incorporados a la ciudad, en los llamados barrios bajos de una estructura urbana anterior, muchos de ellos situados en zonas que la movilidad urbana hizo pasar de unas clases sociales a otras. En zonas de transición o deterioradas y que un día pertenecieron a grupos acomodados o pequeños burgueses, pero que al abandonarse por ellos fueron bajando progresivamente los grados de la escala social. Estos barrios bajos integrados al centro solían poseer también en España unas estructuras propias, que son las conocidas casas de corredor, escenario del sainete y la literatura costumbrista de los años castizos. Los sociólogos y urbanistas americanos describen estas habitaciones, que aparecen en toda Hispanoamérica, sin conocer ni aludir a sus precedentes españoles. Son las casas de *vecindad* de México, Centroamérica y Venezuela; los *solares* de Cuba, los *conventillos* de Chile, Argentina y Uruguay, los *cortiços* de Brasil, etc. Veamos cómo los definen: «Este tipo de viviendas pobres consiste en una serie de cuartos de una o dos habitaciones que rodean a un largo y estrecho patio en el que están la boca de agua de los lavaderos y los retretes. En un mismo patio viven unas sesenta familias, y el patio queda reducido a veces a un mero callejón. El suministro de agua y los saneamientos son inadecuados; no existe una limpia zona espaciosa en la que los niños jueguen sin peligro; los edificios son ruinosos y falta totalmente la vida familiar privada»[8]. Como puede verse, la descripción coincide al pie de la letra con la de una casa de corredor madrileña. Fueron estas casas primera manifestación de un urbanismo expansivo, y no resultaban tan descabelladas como el chabolismo del Pozo del Tío Raimundo o las *bidonville* de Casablanca.

Es cierto que las condiciones sanitarias dejan mucho que desear, pero hubieran podido mejorarse. Al fin y al cabo, el que hubiera una fuente en el centro del patio no era mala solución para la comunidad; y el chabolismo ni ha gozado de esta ventaja ni del alcantarillado para los servicios comunes. Lo que sí era difícil de conseguir en estas viviendas de corredor y sus consecuencias ultramarinas era la intimidad de la vida familiar privada. La vida rebasaba de las pequeñas e insignificantes células y se vertía en los corredores y patios, convirtiéndose en algarabía colectiva. Es indiscutible que sin las casas de corredor, las que ya se llamaban en tiempos de Mesonero Romanos casas de «tócame Roque», no existiría el sainete madrileño donde no brillaban, ni mucho menos, la intimidad de la vida familiar y sí la estrepitosa comadrería de una pequeña sociedad que vive en común entre pasiones, altercados, dimes y diretes. Nada de lo que pasaba en aquel pequeño mundo podía quedar reservado y secreto. Todo era de todos y las más íntimas debilidades que el hombre esconde se ventilaban en el patio. La ropa sucia no se lavaba en casa sino a la vista de todos y se colgaba en unas cuerdas o alambres que cruzaban el patio.

Sin embargo, esos suburbios que nos trajo el crecimiento incongruente de la ciudad en forma de chabolismo y barrio de las latas son de otro carácter y de vida más sórdida y menos pintoresca. Han dado lugar a otro tipo de literatura, de la que es ejemplo la novela de Luis Martín Santos *Tiempo de silencio*. Éstos son el primer elemento de incongruencia en la transformación de la ciudad. ¿Cómo podría ser de otro modo si han nacido en plena clandestinidad, primero tímidamente, pegándose a algún pliegue del terreno y ocultándose tras él, como cazador furtivo; luego extendiéndose como inevitable mancha de aceite? Pero, claro está, huyendo siempre de los emplazamientos previstos para la expansión de la ciudad, de las líneas matrices donde podrían coordinarse con lógica. Los organismos oficiales, planificadores y urbanistas, son lentos en sus previsiones y todavía más en sus realizaciones. Mientras retienen las zonas convenientes y planifican sobre ellas preparando la solución al crecimiento, la realidad, con sus crudos imperativos, rompe por los lugares más imprevistos e incongruentes; y cuando las autoridades quieren darse cuenta se encuentran ante sí con una ingrata y voluminosa realidad que modifica los datos de un problema que se pensaba abordar serenamente en los tableros de dibujo. Entonces hay que acudir, como quien va a sofocar un incendio, a absorber en barrios experimentales y semiprovisionales lo que las poblaciones desheredadas han improvisado ante la urgencia de su situación. Entonces se añade a una improvisación otra, que suma al caos la incongruencia. Con este ir y venir espasmódico, haciéndose y deshaciéndose, pero siempre a medias y bajo la presión de in-

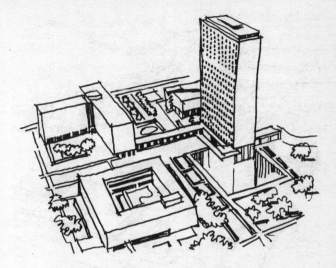

Fig. 69. Lansiarg, Michigan. Centro cívico. Planificación típica de mediados del siglo XX.

quietantes circunstancias, va transformándose la ciudad con un crecimiento que ni es ordenado por vía técnica ni es pausado y orgánico por vía natural.

Todo esto presenta problemas de organización espacial en las grandes metrópolis que han ido agravándose con el tiempo. Es necesario relacionar espacialmente el centro representativo y de negocios, los centros de producción, los de residencia y los espacios libres para recreo y expansión. La emergencia de las zonas residenciales o ciudades dormitorios, empezando por los *slums* y barrios de chabolas, ha traído, como hemos dicho, las primeras confusiones en el planeamiento que han dado lugar a la transformación incongruente. Los centros representativos y de negocios no provocaron, de momento, un desequilibrio estructural tan grave porque estaban acomodados a las áreas centrales que, con sus defectos, se habían desarrollado con más coherencia, beneficián-

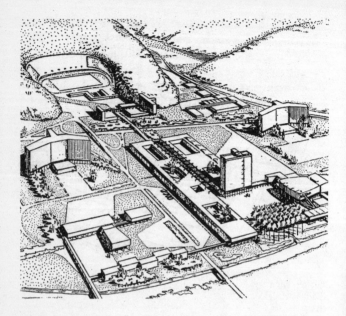

Fig. 70. La ciudad de los motores, cerca de Río de Janeiro. Proyecto de
Paul Lester Wiener y José Luis Sert. Un ejemplo de aplicación de las ideas
de Le Corbusier a un caso concreto. Parte central de una ciudad dedicada a
la fabricación de motores de aviación.

dose de un saber histórico. De todas maneras, en estos centros se produce una paulatina transformación, más oculta
que visible, al utilizarse viviendas de clase elevada y media
como espacios para oficina. Por eso, siguiendo una tendencia, ya muy señalada en las grandes metrópolis, sobre todo
americanas, se produce un movimiento centrífugo del centro a los alrededores que hace que descienda la densidad de
población en los núcleos y aumente en la periferia. Pero esto
es un poco engañoso si lo medimos en cifras de residentes,
porque si contamos las personas que se concentran en estos
núcleos durante el día, tanto los empleados de oficinas y co-

mercio como el público que acude a ellos, nos encontramos que la densidad es mucho mayor.

Por consiguiente, los problemas que este urbanismo en expansión produce en los núcleos centrales, muchas veces de estructura tradicional, residen en la congestión disparatada que sufren cuanto más aumentan las franjas exteriores de residentes y en la falta de accesibilidad y de transporte que esto lleva consigo.

Toda ordenación espacial será nula si no existe una adecuada accesibilidad, unos medios de transporte en común eficaces y una red viaria capaz e inteligentemente planeada. En términos de accesibilidad es como algunos urbanistas han considerado que se debía tratar el problema de la dimensión de las ciudades. Parece aconsejable que el área metropolitana no se extienda más cuando se ha sobrepasado la media de treinta minutos de tiempo de transporte entre el centro y la periferia[9]. Este cómputo horario puede mejorarse en cuanto se perfeccionen los medios de transporte. Si la velocidad de tráfico en autopista de acceso es en las horas punta de unos 25 kilómetros por hora, no cabe duda de que cuando aumentemos esta velocidad a 30 o 40 kilómetros por hora la ciudad podrá extenderse más y aumentar el número de sus habitantes proporcionalmente.

El área central que representa la esencia de la ciudad, como dice Blumenfeld, atrae particularmente aquellas funciones que corresponden a la metrópoli como un todo (no a sus barrios y funciones sectoriales) y que exigen una cantidad considerable de contactos interpersonales. Además del comercio, tanto de los grandes almacenes como de las tiendas especializadas, el complejo de oficinas, corporaciones, instituciones financieras, administración pública y los despachos de los profesionales que sirven a todo este mecanismo, en el área central encontramos importantes establecimientos culturales, bibliotecas, museos, galerías de arte, teatro y ópera y el sinfín de lugares de convivencia como ho-

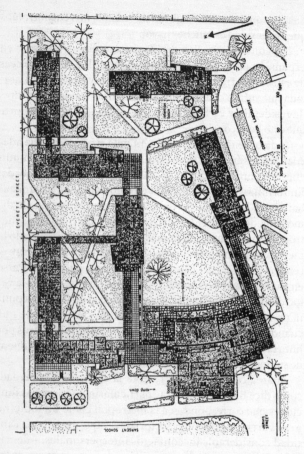

Fig. 71. Harvard, Cambridge. Mass. Centro de graduados proyectado por Walter Gropius. Ejemplo de una planificación dinámica en medio de un área ajardinada. *(El corazón de la ciudad.)*

teles, restaurantes, clubs, cafés, etc. Toda esta función del área central decae, se deteriora y puede llegar a fracasar por completo si su accesibilidad falla.

Hace años, cuando las ciudades no habían alcanzado la extensión de las áreas metropolitanas de ahora, estos problemas de accesibilidad apenas existían, y en una proporción muy alta la población que utilizaba los servicios del área central vivía o dentro de ella o en una vecindad tan razonable que su traslado no representaba ningún problema. Hoy que la extensión ha sido en gran medida consecuencia del avance de los medios de transporte, éstos se han convertido en la cuestión más delicada y más conflictiva de la urbe moderna. El automóvil, que ha sido la palanca de la expansión, se ha convertido, por otro lado, en el elemento más perturbador e incómodo de la vida ciudadana. Las autoridades municipales son impotentes para preparar la estructura funcional que el automóvil exige, posiblemente porque la economía, el régimen de exacciones y los recursos que las leyes prescriben obedecen a un concepto anticuado de la ciudad. Las metrópolis, al expandirse, han recogido en su seno, bien anexionándoselos, bien manteniendo su independencia político-administrativa, una serie de antiguos municipios periféricos. Cuando estos municipios no han sido anexionados, la ciudad matriz, cuyos servicios disfrutan igual que los ciudadanos anexionados, no percibe ninguna clase de impuestos. Pero también cuando los municipios se anexionan, éstos suelen ser de rentabilidad muy pobre y sobre ellos hay que revertir en obras de vialidad y servicios cantidades superiores a las que aporta su economía y estamos en el mismo caso. El problema exige una reorganización administrativa a la altura de los tiempos presentes.

En el intervalo, con la escasez de recursos inveterada, la ciudad matriz no puede llevar a cabo más que obras de circunstancias que son pan para hoy y hambre para mañana. Estas obras de circunstancias suelen ser, además, las que más perjudican las estructuras existentes y las que destruyen aspectos muy valiosos de la ciudad tradicional que luego no se podrán recuperar. Se sacrifican plazas arboladas (tan necesarias como pulmones en medio de la congestión, tan útiles para clarificar el aire y luchar contra la «polución» y los gases nocivos) para instalar aparcamientos que son solución temporal y raquítica. Se destruyen avenidas y bulevares existentes y con arbolado de gran desarrollo para preparar provisionalmente vías de penetración y de tráfico rápido que también quedan a medias porque no estaban planeadas dentro de un sistema orgánico. En suma, se destruye lo que constituía a veces el mayor aliciente del paisaje urbano sin beneficio a largo plazo.

En medio de los procesos congestivos que sufre la ciudad del pasado en el presente, principalmente por la especulación de terceros, con el consiguiente aumento de volúmenes edificados, y por la concentración de tráfico, no se tiene apenas en cuenta el problema sanitario, cada vez más grave y urgente.

Densificar cada vez más el centro de las ciudades, acumular habitantes por metro cuadrado, crear aparcamientos de automóviles con su correspondiente emanación de gases tóxicos, provocar el incremento de detritus de todo orden, mientras se hacen desaparecer plazas, árboles, jardines, avenidas y paseos es no sólo atentar al bien común, al bienestar de los ciudadanos, sino poner en grave peligro su salud orgánica y psíquica, ya que una cosa que sería necesario estudiar es en qué medida la vida de las grandes urbes aumenta el porcentaje de las enfermedades nerviosas.

Como ha dicho Aaron Fleisher, «no parece posible que la tecnología pueda contribuir sustancialmente a la solución del problema creado por las aglomeraciones humanas y de vehículos que aqueja a la ciudad moderna. La congestión humana no se comporta como un mero síntoma de deficiencias en el funcionamiento. Ya que si así fuese, su evitación sería en gran parte cuestión de aumentar suficientemente la capacidad. Una de las soluciones más socorridas suele ser la construcción de nuevas carreteras; pero la realidad pronto se encarga de de-

Fig. 72. Boston. La complejidad de las redes viarias y sus enlaces en una ciudad moderna americana. (Dib. del autor.)

mostrar su inutilidad, pues la consecuencia suele ser casi invariablemente una intensificación del tráfico aún mayor. Al achacar el nuevo desequilibrio al crecimiento de la ciudad o a una redistribución de la circulación rodada, se admite tácitamente que las vías de comunicación no son un elemento pasivo en la

determinación del modo en que se repartirá el tráfico. Por tanto, no se podrá remediar nunca la congestión urbana mediante
simples adiciones de carreteras nuevas a la red ya existente. En
este sentido, la red nacional de carreteras se asemeja a un sistema con realimentaciones desestabilizadoras»[10].

La ciudad moderna se ha dejado llevar demasiado a menudo por la tiranía del tráfico. Para algunos urbanistas y administradores, el tráfico es lo primero y a su solución deben
posponerse cualesquiera otras consideraciones. Sin embargo, no todos piensan así. Arquitectos jóvenes como Theo
Crosby, que ha escrito un pequeño opúsculo titulado *City
Sense*, lleno de sagacidad, dice lo siguiente: «El tráfico no es
lo importante. Lo importante es cómo vive la gente. No se
gana nada con reducir unos pocos minutos el tiempo de
transporte si al final se llega a un lugar de residencia insatisfactorio. No se gana nada con lograr un *parking* adecuado
para todo el mundo si eso lleva consigo tener que recorrer
media milla a través del asfalto para llegar a una tienda. No
tiene sentido planificar para el tráfico sin planificar aún más
intensamente para otras necesidades humanas.

»Si no podemos aceptar o absorber la destrucción de
nuestras viejas ciudades para acomodarlas a nuestras aspiraciones, debemos establecer un sistema de prioridades»[11].

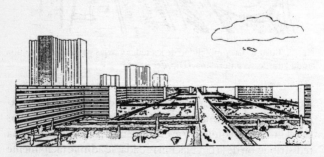

Fig. 73. Le Corbusier. La *ville radieuse*.

De todo esto se ha ocupado el famoso *rapport* Buchanan *Traffic in Towns.*

Esta misma obsesión por los fenómenos funcionales, y en especial por el tráfico, encontramos en el hombre que más ha influido en el aspecto físico que, al menos parcialmente, están tomando nuestras ciudades de hoy: Le Corbusier. Su *ville radieuse* o «ciudad radiante» es en realidad una idea puritana y utópica, pero muchas de sus soluciones –establecidas en los años veinte– son todavía en gran parte válidas. Mucho de lo que preconizó Le Corbusier, la separación de funciones, el énfasis en los problemas de transporte, la amplitud de zonas verdes, pertenece a la ortodoxia del urbanismo moderno.

Las grandes torres de un centro comercial y de negocios fácilmente accesibles por las vías de tráfico y rodeadas de

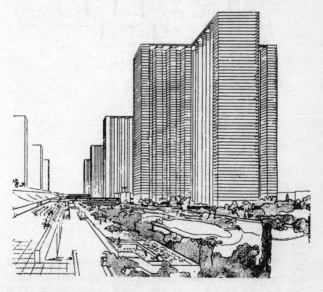

Fig. 74. Le Corbusier. Las grandes torres de los edificios comerciales en la *ville radieuse.*

parques y espacios verdes; los bloques de apartamentos con amplias zonas de jardín y terrenos de juego y deporte; las zonas industriales cuidadosamente aisladas y las comunidades satélites orgánicamente articuladas con el centro, son otros tantos de los postulados de Le Corbusier.

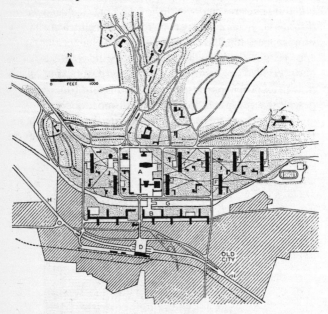

Fig. 75. St. Dié. Proyecto de Le Corbusier. Ejemplo de ciudad funcionalmente diferenciada y estrictamente zonificada. *A.* Centro cívico y cultural. *B.* Industria. *C.* Casas unifamiliares. *D.* Estación de ferrocarril. *E.* Edificios en altura (primera etapa). *F.* Edificios en altura (segunda etapa). *G.* Río. *H.* Autopista. *J.* Ferrocarril. (Gallion, *op. cit.*)

Según Martin Meyerson, Le Corbusier es el gran creador de la utopía de la ciudad moderna en su aspecto físico. «Durante los primeros años del siglo XX se produjo un eclipse de las utopías literarias y sociales para dejar paso a la utopía física o de diseño urbanístico de la ciudad ideal, que alcanzó una importancia considerable gracias a los trabajos de Frank Lloyd Wright y Le Corbusier. Ambos arquitectos idearon sendas utopías perfectamente adecuadas al siglo XX, de acuerdo con los florecientes avances de la técnica y en el seno de la sociedad urbanizada característica de nuestra época»[12].

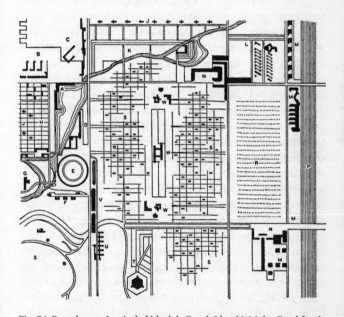

Fig. 76. Broadacres. La ciudad ideal de Frank Lloyd Wright. En el fondo una ciudad lineal a lo largo de una arteria ferroviaria. La unidad modular es un acre de tierra para cada familia. *A*. Concejo y administración. *B*. Aeropuerto. *C*. Deportes. *D*. Oficinas profesionales. *E*. Stadio. *F*. Hotel. *G*. Hospital. *H*. Pequeña industria. *J*. Pequeñas granjas. *K*. Parque. *L*. Motel. *M*. Industria. *N*. Mercaderías. *P*. Ferrocarril. *R*. Huertas. *S*. Casas y apartamentos. *T*. Iglesia y cementerio. *U*. Laboratorios de investigación. *V*. Zoo. *W*. Escuelas. (Gallion, *op. cit.*)

Así como Le Corbusier abogaba por la gran concentración urbana, Wright pensaba en su ciudad, llamada Broadacre, como un caso extremo de dispersión, hasta lograr un híbrido entre campo y ciudad. Ni Wright ni Le Corbusier se detuvieron a analizar los aspectos económicos, sociales ni políticos, pensando que la restauración del ambiente material traería como consecuencia el nacimiento de instituciones idóneas para su gobierno.

Los problemas del urbanismo en expansión inciden desde la periferia al centro. En general los núcleos tradicionales de las ciudades, lo que en España se suele llamar el casco viejo y que muchas veces no es tan viejo porque se completa y se edifica en gran parte durante el siglo XIX, tienen ya poca importancia desde el punto de vista cuantitativo. El casco viejo de Madrid, por ejemplo, el que estaba encerrado en los antiguos límites de su cerca y que constituía la ciudad antes del ensanche del plan Castro, no pasó de tener unos 600.000 habitantes. Con relación al Madrid actual de tres millones de habitantes, es sólo una quinta parte. En un futuro Madrid de seis millones será una décima parte. Si se acumulan los problemas en dicho casco es porque en él inciden los de la periferia. Basta neutralizar dicho centro, prohibir todo aumento de densidad en la edificación, aprovechar toda oportunidad para dejar espacios libres, trasladar o disgregar las zonas comerciales, llevarse fuera de él los edificios públicos y no tratar de aumentar la capacidad de los que existen elevándolos en altura, etc., para que dicho centro, poco a poco, se congele y se convierta en una especie de pacífica ciudad provinciana en medio de la urbe tentacular que la rodea. Ya la misión del urbanista no es, como en otros tiempos, tratar de planear reformas interiores, ya ha pasado el momento de las «grandes vías» que sólo son negocio para especuladores y que no resuelven ningún problema, sino que acumulan a los ya existentes otros nuevos y mucho más graves.

La misión del urbanista consiste en articular lo más acertadamente posible la periferia de la urbe; la periferia de hoy será el centro o centros vitales del futuro. En esta planificación externa lo más importante es la ordenación de los ejes de tráfico fundamentales y la localización de las diversas funciones: centros comerciales, negocios, barrios residenciales, zonas verdes, zonas de recreo y deportes y, por último, las industrias. La articulación y la localización de estas funciones no quiere decir el aislamiento y la «zonificación» a rajatabla. Las zonas puramente residenciales, las ciudades dormitorios, han resultado, en general, un fracaso. Privadas de otros elementos que constituyen el total organismo de una ciudad (centros representativos, monumentales, religiosos, mercados, espectáculos, comercio y, al menos, una cierta industria no pesada), al final estas ciudades dormitorios degeneran, declinan y se degradan física y moralmente.

La localización de las industrias pesadas es otro de los grandes problemas que presenta la organización espacial de las grandes metrópolis. Posiblemente fue lo primero que motivó la regulación del uso del suelo, lo que se ha llamado zonificación. Ya en las ordenanzas medievales existen prescripciones sobre el emplazamiento de las tenerías, tintorerías y otras industrias insalubres que estaban colocadas en barrios especiales, en arrabales y, a veces, junto a los ríos para la más fácil evacuación de los residuos. Pero la invasión grave de la industria se produjo con el desarrollo de las fuentes energéticas y de los medios de transporte. Esto coincidió con el auge de una economía liberal basada en el *laissez faire,* en la que al impulso privado no se oponía ninguna cortapisa para el logro de sus fines. La industria invadió la ciudad de un modo caótico y lamentable, dando lugar a ese monstruo que Mumford ha denominado la metrópoli paleotécnica. (Véase Lección 8.)

De todas maneras, la invasión de la industria fue lo que provocó las más graves alarmas de los urbanistas y gobernantes mientras caían estrepitosamente los postulados del *laissez faire.* El libre juego de las fuerzas competitivas, que en términos de economía de mercado podía ser saludable y movilizador, en términos de urbanismo era una catástrofe. Las industrias provocaban una monstruosa acumulación de tráfico pesado, ruidos, malos olores y, sobre todo por sus humos y emanaciones, una «polución» que viciaba la atmósfera hasta extremos alarmantes para la salud pública. Hoy en día, en muchas grandes ciudades, el problema de la «polución» es de los más graves que afectan al desarrollo urbano. La revista *Time,* en un número reciente (enero 1967), dedica a este tema un extenso y alarmante estudio.

La «zonificación» de las industrias fue considerada como una necesidad insoslayable, pero todavía la ciudad no ha resuelto de una manera orgánica los problemas que esto provoca. Son muchas las tendencias, desde los que estiman necesario el aislamiento total de los complejos industriales, como si se tratara de verdaderos lazaretos, hasta los que consideran que las plantas industriales deben organizarse en vecindad con las zonas residenciales obreras, para una mejor armonía de la jornada del trabajador y un menor dispendio de los medios de comunicación.

Como quiera que sea, y a pesar de las apariencias, se ha comprobado que la gran ciudad es más conveniente para la pequeña industria que para los grandes complejos. La gran fábrica, siendo en mayor medida autosuficiente, encuentra un lugar más apropiado en zonas aisladas o junto a pequeñas poblaciones. Las estadísticas así lo demuestran. Mientras decrece entre los metropolitanos el número de trabajadores empleados en grandes manufacturas, aumenta el de los empleados en pequeñas industrias y sobre todo en servicios. Estos servicios, en el fondo, constituyen la verdadera vitalidad de la ciudad, su verdadera base económica. La descentralización de las industrias, sobre todo pesadas, es algo que deberá presidir toda planificación de tipo económico en el futuro.

En España todavía domina en estas cuestiones la improvisación, con sus consiguientes balbuceos e inseguridad de criterios. Muchas veces el deseo de quemar las etapas de una industrialización apresurada y empujada por cierto nerviosismo político ha seguido la ley del mínimo esfuerzo. Por ejemplo, en Zaragoza se han expropiado con fines industriales zonas de huerta de primera calidad cuando a un paso existían otras áridas y esteparias sin aprovechamiento de ninguna clase. Pero estas zonas de huerta estaban al borde de las carreteras y del ferrocarril, gozaban de red de distribución de energía y eran, por tanto, más fáciles de acomodar para el nuevo uso en un plazo breve, y a las autoridades políticas les interesan los éxitos fáciles y a corto plazo.

En Madrid, la imprevisión más absoluta ha presidido la organización del espacio industrial. Consecuencia de un pasado reciente, de la localización de los barrios más pobres al sur del viejo casco urbano, de la situación de los ferrocarriles, mataderos y mercados, un barrio industrial paleotécnico se fue formando en lo que había sido el ensanche sur ordenado en el siglo XVIII por Carlos III. Es lástima, porque aquel lugar, con grandes avenidas arboladas, hubiera podido ser un hermoso barrio residencial y una de las partes más monumentales de acceso a la ciudad. Hace unos años, antes de la guerra e inmediatamente después, dicha localización industrial pudo tener alguna justificación. Hoy no. Dada la enorme extensión que ha adquirido Madrid en estos últimos años, es absurdo que en su centro mismo se localice un barrio industrial de gran volumen. Esto es una prueba más de cómo los acontecimientos van más de prisa que los planes y que éstos deben ser siempre susceptibles de modificación y de revisión. Hoy el barrio sur de Madrid, desde las rondas hasta el Manzanares, debía someterse a una transformación que redujera al mínimo la industria, dando paso a otros usos del suelo: oficinas, servicios, zonas deportivas, parques y viviendas.

Pero la zonificación no es sino uno de los aspectos de la política del suelo sobre el que se puede actuar de una de las tres maneras siguientes:

1. Estricta regulación de su uso por medio de ordenanzas de zonificación severas.

2. Procedimientos fiscales para gravar intensamente los usos indebidos hasta el punto de hacerlos no rentables.

3. Adquisición del suelo por los organismos estatales, es decir, socialización del mismo.

El único sistema que se ha empleado en nuestro país es el primero. Es el más respetuoso, evidentemente, con la iniciativa privada y con la libertad de los bienes raíces. Pero ha resultado también el más ineficaz. Por varias causas: porque los planes reguladores han resultado casi siempre insuficientes y han envejecido poco después de promulgados; porque en su aplicación no ha presidido la justicia ni un espíritu igualitario, y cuando han existido grupos de presión poderosos se han torcido los reglamentos a su capricho. El segundo sistema sería más eficaz y, debidamente informados los empresarios, podrían acomodar sus planes a la situación fiscal antes de que éstos supusieran una lesión económica. La socialización del suelo es la consecuencia a que tendrán que llegar las grandes ciudades si éstas quieren subsistir y evitar en lo posible los grandes escollos del urbanismo en expansión. No se puede hacer crecer indefinidamente la superficie urbana dejando en su interior zonas depauperadas y de escaso rendimiento funcional que la inercia y debilidad económica sostienen. Estas zonas deben adquirirse para remodelarse con un sentido funcional, interviniendo para esto los fondos públicos o las finanzas privadas sometidas a un plan condicionado con unas regulaciones muy estrictas que no permiten la especulación, sino unos márgenes de beneficio adecuados a una obra eminentemente social.

En cierta ocasión oíamos a un diplomático alemán que se estaba dando el caso curioso de que, mientras las ciudades de Alemania Occidental, regidas por los demócrata-cristianos, estaban cayendo en el desorden, la incongruencia y la desarticulación de todos sus servicios, las ciudades regidas por los social-demócratas estaban demostrando un equilibrio y una organización infinitamente superiores. Es que la ciudad tendrá, se quiera o no, que ser regida por un espíritu comunal, que incluso históricamente fue el que permitió en la Edad Media que las ciudades llegaran a ser instrumentos de libertad y de progreso, verdaderas *comunas* en todo el alcance del término. Sólo este espíritu comunitario podrá luchar con los problemas que hoy nos desbordan y que el urbanismo en expansión acumula cada día. Apenas hemos esbozado algunos en esta lección. Si los analizamos todos habría para escribir un verdadero tratado, que no sería, ciertamente, el que podría devolvernos el optimismo.

Lección 10
Ecología urbana

Hemos insistido reiteradamente a lo largo de este libro en el ser histórico de la ciudad. Como fenómeno histórico participa naturalmente de los cambios y mudanzas de la historia y refleja perfectamente el devenir de la aventura humana, aunque muchas veces y dependiendo de las circunstancias esta adaptación al momento histórico pueda producirse con ritmos muy diversos. De todas maneras podemos decir que la ciudad se mueve, como se mueve la vida. Basta recorrer cualquier museo histórico de ciudad –casi todas las grandes ciudades de algún abolengo lo tienen– para darse cuenta de esa incesante movilidad.

Esto para aquellos que amamos la ciudad como obra de arte nos inquieta y nos perturba, porque lo mismo que podemos gozar de un cuadro de Velázquez o de una sinfonía de Beethoven en su prístina pureza, como su creador lo concibió, quisiéramos también disfrutar de la contemplación de un Nuremberg medieval o de una Florencia renacentista intactas. Pero no es el mismo caso. Ya dijimos en la Lección 2 que la ciudad no es una obra de arte –un artefacto– sino que constantemente se está haciendo y deshaciendo. Es, por tanto, un proceso vivo. La ciudad día a día se construye, pero no

olvidemos que toda construcción lleva aparejada una destrucción, como toda vida, de acuerdo con un sino inelucta-
ble, tiene como telón de fondo una muerte. Una ciudad que
se construye es a la vez una ciudad que se destruye; y precisamente en la manera de articular esta doble operación cons-
trucción-destrucción reside la posibilidad de que las ciudades se desarrollen armoniosamente puesto que lo ideal es
que la construcción se haga con la menor destrucción posible y sobre todo que esa destrucción sea más que nada una
readaptación inteligente a las nuevas exigencias. Si una ciudad en período de desarrollo acelerado puede hacer que
compaginen las viejas y las nuevas estructuras, tanto mejor.
Las ciudades europeas, depósito de un caudal cultural muy
importante, conscientes de los valores permanentes que en
ellas residen, mantienen todavía un aceptable equilibrio entre el hacer y deshacer, entre lo nuevo y lo viejo. Es signo de
cultura.

El ministro zarista conde Witte solía decir que para comprobar el grado de adelanto y civilización de un país bastaba
con observar cómo funcionaban los ferrocarriles. Ya diría
que para pulsar el grado de cultura de una nación el mejor
índice es comprobar cómo se desarrollan sus ciudades. Si en
el desarrollo preside el caos, el crudo juego de los intereses
económicos, el desprecio por el pasado, el afán de la novedad por la novedad, es señal evidente de que por debajo de
las apariencias, más o menos progresivas, existe un gran vacío cultural.

En las civilizaciones más modernas, como sucede en los
Estados Unidos de América, la falta de presión del pasado ha
dejado mayores márgenes de libertad que, sin embargo,
tampoco han proporcionado tan evidentes ventajas funcionales como era de esperar. De donde se deduce, como moraleja, que la historia, que muchos la entienden como pesada
carga, es también, como creían los antiguos, maestra de la
vida. Las ciudades norteamericanas, donde la movilidad es

la mayor registrada hasta la fecha, han resultado el peor
ejemplo que puede presentarse en el desarrollo urbano. Lo
malo es que esta mentalidad ha resultado gravemente conta-
giosa y su ejemplo ha cundido por todo el nuevo continente,
destruyendo en la América hispana un pasado urbano de un
valor extraordinario. Por si esto fuera poco, también está
percutiendo en Europa, y naturalmente en los pueblos más
débiles y más propensos a todo mesianismo venga de donde
venga.

La movilidad de una urbe, razón de su vida y de su ser
histórico, hace que sus transformaciones sean a la vez físicas

Fig. 77. Nueva York. Midtown. La ciudad desordenada de la economía
capitalista. (Dib. del autor.)

y sociales. Antes muchas veces de que cambien las estructuras físicas ya están cambiando las estructuras sociales. Barrios, por ejemplo, que fueron un tiempo exponente de una alta jerarquía social, por una dinámica donde juegan muy diversos factores, económicos, políticos, sociales o simplemente de moda, se transforman en otros de distinto componente aún dentro del mismo caparazón. Lo que fueron residencias y palacios se transforman en oficinas o degeneran y se degradan hasta ser barrios humildes donde los nuevos ocupantes se sienten inadaptados e incapaces de sostener las estructuras antiguas.

En general, las clases sociales más elevadas han ido siempre en busca de los emplazamientos más reservados y exclusivos, donde estuvieran menos sujetas a las incomodidades de una urbe agitada y socialmente mezclada. Por eso han solido buscar los emplazamientos marginales con un entorno natural aceptable. Cuando estos emplazamientos han dejado de ser tranquilos y exclusivos, porque el crecimiento de la ciudad los ha absorbido, los han vuelto a abandonar emigrando más lejos. Esto sobre todo se ha producido en las ciudades americanas de mucha mayor movilidad social y mucho más afectas a la mentalidad capitalista pura.

Es natural que estos fenómenos hayan sido, por tanto, estudiados muy especialmente por urbanistas y sociólogos americanos, que han dedicado a ellos mucha atención, hasta casi constituir una rama de la sociología urbana. Esta rama podemos abrazarla en el enunciado general de Ecología Urbana. Muchos de estos estudios y teorías pueden ser de un alcance limitado y tener una validez restringida a determinadas áreas culturales, a determinadas ciudades del mundo capitalista y de la civilización industrial, y durante un lapso de tiempo en que aquellas condiciones han prevalecido. Pero eso no importa para que sea interesante analizarlos en un libro que por ser de historia no puede olvidar el relativismo y el temporalismo de toda construcción histórica.

Veamos, pues, de qué se trata cuando decimos ecología urbana. Ecología es la parte de la biología que se refiere a la relación de los seres vivos y su medio ambiente. Los naturalistas han estudiado cómo las plantas y los animales se distribuyen ellos mismos en comunidades, resultado de un proceso de competencia y selección. La localización y distribución de las plantas y de los animales no es, pues, meramente accidental, sino que obedece a determinados procesos de competencia y cooperación, cuyas causas y leyes muchas veces se pueden definir con bastante rigor. Lo mismo sucede con el hombre civilizado cuando le enfocamos bajo un ángulo social.

Existe, pues, la ecología humana, materia que interesa a los geógrafos, etnólogos, sociólogos y economistas. Cuando esta distribución del hombre y sus grupos sociales tiene lugar en la ciudad, tenemos la ecología urbana, que es la rama que a nosotros particularmente nos interesa. En la ciudad los hombres viven reducidos en un área exigua si la comparamos con las vastas amplitudes geográficas donde la raza humana se desenvuelve. Pero si bien el área de la ciudad es exigua y dentro de ella no pueden encontrarse diferencias naturales, climáticas, altimétricas, ambientales, que segreguen a los hombres por razones biológicas, sí encontramos un campo de competencia aguda que agrupa a los hombres de diversa manera, de acuerdo con sus condiciones sociales, económicas y culturales. En el espacio restringido de la ciudad los matices ecológico-sociales son más finos que en parte alguna, y de ahí el interés que reviste la ciudad desde este punto de vista. La variabilidad de la adaptación social al espacio es mayor en la ciudad que en parte alguna.

Las ciudades, incluso aquellas que parecen más estáticas e inmovilizadas, son organismos en constante transformación. Que sea ésta más rápida en las ciudades de pulso agitado y gran vitalidad o más lenta en las que han quedado marginadas, la transformación siempre existe. Ello se debe a la movilidad de los seres humanos y sus instituciones en busca de un mejor logro de sus fines. Esta movilidad produce un cambio constante en las estructuras sociales que tiene, evidentemente, su repercusión espacial. Por consiguiente, la explicación de todos los cambios que se producen en la estructura física de la ciudad –que es, en realidad, lo más interesante y sugestivo que una ciudad puede decirnos–, está en estos procesos ecológicos.

A una ciudad, incluso en su aspecto físico, no debemos considerarla como una realidad estática; en primer lugar, porque no lo es, y también porque si de una manera artificial, como la cámara fotográfica que retiene y fija un cuerpo en movimiento, así lo hacemos, perderemos por completo de vista su profundo sentido. De esta manera tomaremos a la ciudad por un monumento o por una agregación de monumentos, cuando la realidad es muy otra. Una ciudad es un diagrama expresivo del que hay que conocer, para interpretarlo, las fuerzas operantes. La mejor manera para adentrarnos en la intrincada selva de la hermenéutica urbana es la que nos ofrece la ecología.

Los estudios de ecología urbana, como en general los de sociología urbana, han tenido recientemente un gran desarrollo en Estados Unidos, donde los sociólogos han podido manejar un material fáctico que les ha permitido un acercamiento positivo al problema, de gran interés. El manejo de este material ha cristalizado también en una serie de teorías, algunas superadas o que sólo pueden tomarse con carácter heurístico, pero todas dignas de ser conocidas porque la que más o la que menos ha servido para esclarecer un problema de por sí complejo y lábil.

Según Walter Firey[1], que ha estudiado los procesos ecológicos en la ciudad de Boston con el fin de experimentar la validez de las teorías más conocidas sobre la materia, divide éstas en tres grandes grupos.

1. Las que se valen de esquemas descriptivos ideales.
    a) La teoría de las zonas concéntricas.
    b) La teoría de los sectores de círculos.

2. Teorías empírico-racionalistas.
    a) Racionalistas estrictos.
    b) Racionalistas templados.

3. Teorías metodológicas racionalistas.

De todas las que corresponden al primer grupo, la teoría de las zonas concéntricas fue promulgada por Ernest W. Burgess y ha sido llamada *Burgess theory.* Apareció en el libro de Robert E. Park *The City* (Chicago, 1935), uno de los fundadores de la ecología urbana. Burgess consideró su esquema como válido para las grandes ciudades americanas, pero él mismo advirtió que sus generalizaciones no debían imponerse forzosamente a otro tipo de comunidades. La crítica posterior, y muy particularmente la de Firey, puso en tela de juicio el valor de esta teoría. Fundada sobre la experiencia de la ciudad de Chicago, por lo menos como interpretación de esta ciudad sigue teniendo actualidad. Es muy posible que también convenga a otras cuyas características y desarrollo sean similares a los de Chicago, posiblemente ciudades del Midle-West.

Burgess divide sociológicamente la gran urbe americana en cinco zonas concéntricas: la primera es el centro comercial y de los negocios (el *Loop* en Chicago); la segunda es la llamada zona de transición; la tercera es la de los barrios obreros, zona de Workingmen's Homes; la cuarta es la zona residencial de las clases medias y elevadas; y la quinta es la llamada *Commuter's Zone,* la de las personas que viven en los alrededores y que van diariamente a la ciudad, donde tienen su ocupación. *Commuter* se llama en Estados Unidos al que viaja con billete de abono a precio reducido. Esta palabra de-

fine a una clase especial de personas, cuyo número ha creci-
do fabulosamente en la moderna civilización urbana americana. Este tipo lleva una vida espacialmente escindida entre
su lugar de trabajo y su lugar de residencia. Pero lo grave no
es eso, sino que en su jornada diaria, las horas que le ocupa el
traslado llegan a suponer una parte muy considerable de ella
y por consiguiente, a la larga, de su vida. Muchas veces la ab-
surda estructura de las grandes metrópolis contemporáneas
da lugar a cosas tan peregrinas como la vida del *commuter*,
que, haciendo de la necesidad virtud, se solaza en sus horas
de tren y encuentra sus amigos, no en el lugar de trabajo,

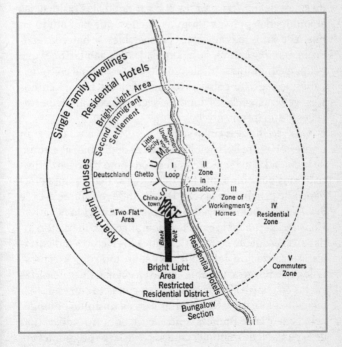

Fig. 78. La teoría de las zonas concéntricas de Burgess aplicada a la ciudad de Chicago. (Gist y Halbert, *Urban Society.*)

donde actúa como una máquina, como un ente abstracto, ni tampoco en el de residencia, donde tiene el tiempo justo para descansar, sino en el viaje de tránsito, donde coincide diariamente con otros *commuters* como él. Allí parece que, por rara circunstancia, se siente un hombre entre los hombres.

De estas zonas, acaso la más interesante es la segunda, la que está inmediata al centro comercial de la ciudad, la zona de transición. Es, por decirlo así, una zona inestable donde florece el vicio y la delincuencia y viven los parias de la ciudad. Es la zona de la prostitución, de los garitos, de los fuera de la ley, del *underworld.* Es el lugar donde las residencias abandonadas por sus antiguos dueños, que han huido en busca de sitios más apacibles y respetables, se han convertido en *rooming houses,* casas alquiladas por habitaciones que ocupan emigrantes y desheredados. En esta zona en transición suelen existir colonias italianas, guetos, barrios chinos y, en general, enclaves donde se segregan comunidades raciales, de un ínfimo nivel.

Cuando Burgess lanzó su teoría en 1933, causó una gran impresión entre los sociólogos que se dedicaban al estudio de la ciudad. Muchos la consideraron como un logro definitivo, más que como una hipótesis que se debía poner en el banco de pruebas de la realidad. Cuando más tarde esto se llevó a cabo, la mayoría de las veces dio resultado negativo. Unas veces eran los accidentes geográficos los que distorsionaban el esquema concéntrico; otras los factores industriales, la localización de las fábricas y sobre todo de los ferrocarriles, que Burgess no había tenido en cuenta. En general, las «áreas en transición» se situaban en contacto con estas instalaciones fabriles y ferroviarias y no en un anillo homogéneo. La teoría de Burgess contradecía, por otro lado, el tipo de expansión de múltiples ciudades a lo largo de grandes arterias de circulación, lo que da lugar a formaciones urbanas en estrella. Tampoco resolvía esta teoría el caso de las ciudades con varios centros, como ocurre en las de gran tamaño cuando se forman, por ejemplo, núcleos comerciales en los centros de barriada.

Como consecuencia de esta teoría concéntrica expresada geométricamente, surgió la teoría de los gradientes (*Gradient Theory*), que trata de sustituir un esquema demasiado ideal por algo capaz de encontrar una base empírica. Mediante este sistema se analiza el grado de una variante social cualquiera en relación a un centro de dominación: por ejemplo, el grado de pobreza, de mortalidad, de delincuencia, de desorganización social, etc., según su mayor o menor alejamiento de este centro. Se trata, pues, de una visión semejante a la de la teoría concéntrica, en la que se sustituyen las zonas netamente diferenciadas entre sí por una continua y gradual transformación. Existe la misma diferencia que entre un dibujo de tintas cortadas y otro en que se pasa del negro al blanco mediante desvanecidos. Si la teoría de los gradientes es cierta, las líneas que separan las zonas carecen de realidad o son franjas irisadas en las que gradualmente se produce la transformación. De todas maneras, la teoría de Burgess sigue teniendo su valor como esquema simplificado de una realidad urbana americana. Qué duda cabe que en una forma u otra las ciudades tienen un centro comercial alrededor del cual suele existir un área deteriorada e incierta, y que las zonas residenciales tienden a localizarse hasta la periferia. Aunque sólo sea por esto y por el estímulo que produjo en los estudios de ecología urbana, la teoría de Burgess debe conocerse.

Es muy interesante comparar, desde el punto de vista ecológico, la estructura de la ciudad americana, *sensu lato,* con el de la ciudad europea. Tomando como base la visión sintética de Burgess apreciamos que inmediatamente alrededor de un centro comercial y de negocios, relativamente restringido con respecto al área de la ciudad, aparece la zona deteriorada, donde viven las clases inferiores de la sociedad,

donde existe los *slums* más miserables; después, los barrios
obreros; y, por último, las zonas de la clase media y alta. Es
algo semejante a lo que ocurriría si en torno al centro de Madrid, de una manera casi brusca, nos encontráramos con los
suburbios del Puente de Vallecas o de Tetuán de las Victo-
rias, y que luego poco a poco, al irnos alejando del centro, el
escenario empezase a mejorar, hasta encontrar en lo que nosotros llamamos suburbios las zonas residenciales más dis-
tinguidas. De hecho, en la diferente significación que en Eu-

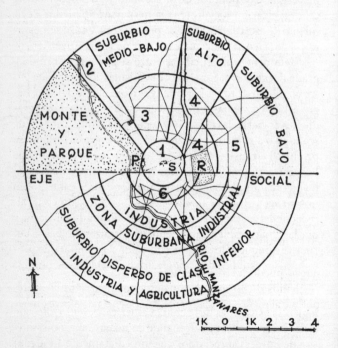

Fig. 79. Esquema geométrico expresivo de la estructura ecológico-social
de Madrid, según F. Chueca. 1.–Centro comercial dominante. 2.–Clase
alta. 3.–Clase media. 4.– Clase alta. 5.–Clase media. 6.–Viviendas humildes. R.–Retiro. S.–Puerta del Sol. P.–Palacio Real.

ropa y América tiene la palabra «suburbio» reside la gran disparidad que apuntamos. Para los Estados Unidos, suburbio equivale a zona residencial, respetable, tranquila, quieta, cuando no opulenta y señorial. En Europa, la mayoría de las veces es sinónimo de pobreza y miseria. La ciudad europea es una fruta cuya corteza está corrompida, pero que conserva el corazón sano y, en cambio, la americana tiene una lustrosa apariencia con la médula emponzoñada.

Es un hecho que indudablemente se presta a no pocas consideraciones. ¿Qué circunstancias se han tenido que dar para que se haya producido en el Nuevo Continente una ciudad al revés? Al revés al menos para nosotros, que partimos de las nuestras como de un hecho natural.

Las ciudades europeas se han ido formando a lo largo de los siglos por un proceso de decantación muy lento. Han sido primero núcleos pequeños, muchas veces artificialmente apretados por un cerco de murallas que impedía la expansión. Dentro de estos cinturones pétreos han ido ganando en esplendor y magnificencia. El centro se ha llenado de venerables monumentos y ha adquirido un prestigio y un sentido simbólico, que ha tenido su parte en la consiguiente valoración social del espacio. Por el contrario, las clases débiles, las industrias enojosas (curtidores, tintoreros, alfareros, paneros, etc.), han tenido que refugiarse en la periferia, en los arrabales. La menor movilidad de la ciudad histórica europea ha mantenido a través de los años esta estructura, que no puede desarraigarse totalmente.

Hemos dicho que no puede desarraigarse totalmente, porque al menos parcialmente la influencia de Norteamérica cada vez va pesando más. Qué duda cabe que el tipo de suburbio elegante típicamente americano va imponiéndose también en muchas ciudades europeas. En el Madrid de la posguerra hemos visto surgir suburbios residenciales periféricos de alto nivel social muy semejantes a los de los Estados Unidos. Colonias como las de Puerta de Hierro, la Florida, Somosaguas o La Moraleja, así lo testifican. Los agobios de la congestionada vida urbana, la falta cada vez mayor de espacios libres, el ambiente enrarecido de la aglomeración, las dificultades funcionales de aparcamiento, etc., hacen que las clases pudientes, siguiendo el ejemplo de las sociedades industriales de los países más desarrollados, incidan en soluciones semejantes.

De todas maneras el proceso americano fue previo y más radical. Cuando llegó la Revolución Industrial y el vertiginoso crecimiento de la población, en la segunda mitad del siglo XIX, América se encontró con unas ciudades apenas implantadas y que todavía tenían el carácter casi provisional de establecimientos coloniales. No existían monumentos notables, ni verdadera riqueza inmueble, ni zonas de prestigio secular. Eran cuerpos frágiles incapaces de resistir ni la acometida furiosa de la industria ni el crecimiento brutal de la población, que llegaba en oleadas de emigrantes. Las ciudades sucumbieron anegadas por esta marea y las clases pudientes, como recurso, emigraron a la periferia, donde una naturaleza favorable les brindaba lugares incontaminados donde poder rehacer una vida bucólica a la que estaban acostumbrados. Así se inició esa vertiginosa movilidad de la ciudad americana, siempre en busca de una adaptación social al espacio. El centro iba siendo expoliado sistemáticamente por el comercio, por la industria, por los medios de comunicación (puertos, vías fluviales, ferrocarriles), por los emigrantes y clases pobres, y las clases altas se iban alejando al mismo ritmo rápido y paralelo. Si en la mayoría de las ciudades puede dibujarse la traslación de las clases elevadas, que en París lleva la dirección E-O y en Madrid sensiblemente la SO-NE, en las ciudades americanas esta traslación se convierte en una apresurada carrera. Lo que en Europa se mide por siglos, en América por años. Claro está que el ritmo de tal traslación es función del ritmo de crecimiento. Si el crecimiento decae, el ritmo será más pausado y puede producirse una cierta inmovilidad si se llega a una estabilización demográfica. De todas maneras, hoy por hoy, incluso en ciudades cuyo crecimiento se ha estabilizado, la emigración a la periferia y la despoblación del centro sigue siendo un hecho[2].

Como un intento para tratar de superar las anomalías que demostraba la teoría de las zonas concéntricas, Homer Hoyt desarrolló la teoría sectorial. Según ella, la ciudad se expan-

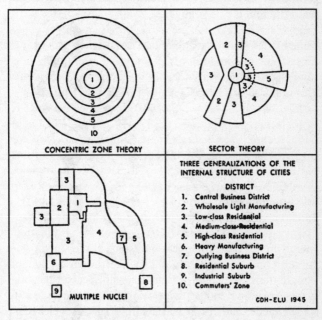

Fig. 80. Tres generalizaciones de la estructura interna de las ciudades: teoría de las zonas concéntricas, teoría sectorial y teoría de los núcleos múltiples. 1.–Centro de negocios. 2.–Comercio y pequeña manufactura. 3.–Residencia de clase baja. 4.–Residencia de clase media. 5.–Residencia de clase alta. 6.–Manufacura pesada. 7.–Centro de negocios en la periferia. 8.–Suburbio residencial. 9.–Suburbio industrial. 10.–Zona de *commuters*.

siona también de una manera circular desde un centro, que
es el núcleo comercial y de los negocios. Pero en lugar de hacerlo por anillos, lo realiza por sectores de círculo, corres-
pondiendo a cada sector distritos especialmente caracterizados desde el punto de vista social. El fundamento de esta
teoría estriba en que una determinada zona residencial (por
ejemplo, residencia de clase elevada) se encuentra aprisio-
nada entre otras zonas de diferente condición y, por consi-

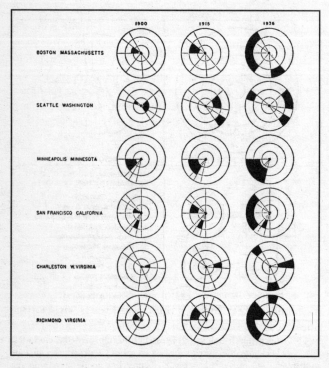

Fig. 81. Cambios en la localización de los barrios residenciales elegantes
en varias ciudades de los Estados Unidos entre 1900 y 1930. En negro los
barrios en cuestión. En líneas generales este crecimiento sigue la teoría
sectorial formulada por Hoyt. (Gist y Halbert, *op. cit.*)

guiente, no tiene otra posibilidad de expansión que la salida al exterior.

Así explica Hoyt su teoría: «Los barrios residenciales de renta elevada deben casi necesariamente moverse hacia la periferia de la ciudad. Los ricos, rara vez vuelven sus pasos atrás en busca de las casas deterioradas que antes dejaron. A cada lado de ellos suele existir un área de rentas intermedias, de modo que no pueden moverse hacia los costados. Como representan el grupo más alto no existen casas superiores abandonadas por otro grupo y deben construir unas nuevas en lugares vacantes. En general, el terreno disponible suele estar justo en la línea de marcha, porque, previniendo la tendencia, los especuladores la han reservado, elevando su valor hasta un grado que lo hace inaccesible a los otros grupos. De aquí la tendencia natural de las zonas de rentas altas a trasladarse a la periferia de la ciudad en el mismo sector en el cual comenzó la localización»[3].

En la teoría sectorial encontramos el mismo determinismo que caracteriza la teoría de Burgess, la misma falta de flexibilidad para adaptarse al complejo mecanismo social que mueve la ciudad. Parece que las cosas deben producirse fatalmente de una determinada manera. Si existen algunos factores modificativos, como los accidentes naturales, éstos, por ser perfectamente ajenos al proceso social, no implican inadecuación de la teoría. Estas teorías a base de esquemas descriptivos ideales, como las teorías en general de base económico-racionalista, adolecen del defecto de menospreciar aquellos valores culturales, simbólicos, ideales, etc., que la sociedad adscribe a determinados lugares y que nada tienen que ver con la condición física de los mismos. Precisamente el afán de destacar estos valores y la volición humana en el juego de factores que condicionan la ecología de una ciudad, es lo que ha movido a Walter Firey a realizar su estudio sobre el uso del suelo en la ciudad de Boston[4].

Tanto la teoría de las zonas concéntricas como la de los sectores de círculo, enfocan el problema ecológico desde un punto de vista excesivamente determinista. Según sus propugnadores, estos esquemas manifiestan ciertas fuerzas naturales, según las cuales la sociedad se segrega y se ajusta al espacio. Frente a estas fuerzas naturales, al hombre no le queda más que la sumisión. Sin embargo, apenas nada nos dicen los autores de cuáles son estas fuerzas y cuál es su *modus operandi*. Se trata de la simple constatación de un hecho por vía completamente empírica. Por consiguiente, si la realidad contradice estos esquemas, no de una forma accidental, sino sustancial, pierden toda validez, incluso teórica.

Por su parte las teorías racionalistas tratan de explicar aquellas fuerzas que condicionan la adaptación de la sociedad al espacio físico por medio de motivos estrictamente económicos. Los grupos sociales se apropian del espacio que mejor favorece a sus fines con un costo mínimo. Existe, pues, en estas teorías una explicación del problema, aunque sea unilateral. No pretenden tampoco los que así piensan encerrar la que pudiéramos llamar figura social de la ciudad en un esquema geométrico rígido. Por consiguiente, corresponde al grupo de teorías esquemáticas el máximo empirismo por un lado y el máximo determinismo por otro, privando a la voluntad individual y colectiva de toda participación consciente.

Este determinismo, bien radical o mitigado, se explica si consideramos la ecología como un proceso biótico más que cultural, un proceso que corresponde al plano de la comunidad, con sus contactos impersonales e interacciones subsociales, más que al plano de la sociedad. Ésta ha sido la postura clásica en materia de ecología y que sólo modernamente se comienza a revisar.

Pero, como decimos, existe otra tendencia que trata de superar tal determinismo expresado en patrones geométricos rígidos. Los que así piensan han sido denominados por

Walter Firey como empírico-racionalistas; quiere decir esto que, sin perder del todo el enfoque empírico de la cuestión, los teóricos de esta tendencia introducen un factor racionalista desde el momento que admiten la existencia de ciertos principios reguladores que se aplican a la ordenación espacial de las actividades humanas.

Los teóricos de este grupo empiezan también por sentar la existencia de un núcleo o corazón urbano donde se cortan las líneas principales de comunicación. Éste es el lugar que llaman de «mayor accesibilidad», donde el mayor número de individuos se relacionan para la satisfacción de sus deseos. Pero luego, en lugar de buscar esquemas geométricos en torno a este núcleo para tratar de explicar la ordenación espacial, acuden a determinados principios universales reguladores. Estos principios se fundamentan en lo que pudiéramos llamar proceso automático de competencia y selección económica.

A cada persona o grupo se les considera empeñados en una lucha por conseguir el punto de máxima accesibilidad. El resultado de esta lucha es un proceso selectivo en que cada persona y cada grupo buscan la colocación que mejor se acomoda a su capacidad de competencia. Según esto, se produce una distribución «natural» en el espacio de todas las funciones, de tal manera que se obtenga el máximo rendimiento del mismo.

Estas teorías de los racionalistas parten, por consiguiente, de considerar la ecología como un proceso exclusivamente económico. Un problema de costos y de capacidad para abordarlos; es decir, un problema de competencia. Según MacKenzie, «bajo todas las formas de segregación urbana encontramos factores de beneficio y renta [income and rent]». Cada persona o cada sistema social busca el punto de máxima accesibilidad, aquel en que a la gente le es más fácil reunirse para traficar entre sí. Ahora bien, como la disponibilidad de este espacio óptimo está necesariamente limitada,

estas personas o sistemas pueden alcanzarlo en la medida de
su capacidad económica.

Estos sitios resultan ventajosos en la medida en que facili-
tan una mayor diferencia entre el beneficio que producen y
el costo que suponen para un determinado propósito. Si esa
diferencia existe, con relación a tal función, actividad, empresa, etc., éste será el lugar menos costoso y, por consiguiente, el que vendrá a ocupar tal función, actividad, empresa, etc. El espacio cumplirá, pues, sus fines idóneos con la
mayor eficacia. Cada sistema social, por tanto, está luchan-
do por conseguir el emplazamiento menos costoso.

Este proceso lo explica Ratcliffe en los siguientes términos:
«El proceso de ajuste de la estructura urbana con vistas a una
eficiente utilización del suelo se produce a través de la competencia de los diversos usos para los diversos emplazamientos.
El uso que pueda extraer el mayor beneficio de un sitio dado
será el más afortunado postor. El desarrollo de esta actividad
competitiva produce una configuración espacial de los usos
del suelo, organizada para realizar de la manera más eficiente
las funciones económicas que caracteriza la vida urbana»[5].

El suelo, según estas doctrinas, es un agente productivo
que, unido a otros agentes, puede ser aplicado a diversos
usos o fines. ¿A qué uso será aplicado? Esto depende del grado de productividad que pueda extraerse de tal agente, conjuntamente con otros, según los usos. Aquel uso que obtenga al mayor beneficio de este particular agente será el
preferido. Por ejemplo, el comercio al por menor es el que
puede convertir mejor la accesibilidad (es decir, los emplazamientos céntricos) en fuente de beneficios. La industria,
en cambio, no obtiene ningún beneficio particular de esta
accesibilidad, por lo cual este agente productivo (el suelo de
las zonas céntricas) se reserva para otros usos. En cambio, la
industria puede obtener un máximo beneficio de los lugares
bien provistos de medios de comunicación (puertos, vías
fluviales, nudos ferroviarios, etc.) y usar de ellos.

Según estos racionalistas, el resultado de este proceso es un orden natural y estable. Ahora bien, para llegar a esta consecuencia, sería necesario probar que la conveniencia de las partes coincide con la conveniencia del todo, ya que estos racionalistas lo único que nos han probado es que en la libre competencia los diversos sistemas sociales procurarán su máximo de utilidad como entidades independientes y que su relación mutua es simplemente contractual. Mientras otra cosa no se pruebe (y el probarlo pertenece a otra esfera de cuestiones económicas y políticas que excede de los estudios ecológicos que ahora nos interesan), no podrá asegurarse que de la libre competencia nazca una estructura ecológica natural y estable.

Estos estudiosos, como acabamos de ver, han hecho de la adaptación espacial un fenómeno estrictamente económico. El suelo no tiene para ellos más significación que el de su valor pecuniario y el de sus posibilidades como agente productivo. En todo esto subyace una idea estrictamente biótica. Todo este proceso se supone que opera automáticamente en un nivel subsocial, es decir, subcultural.

He aquí lo que dice James A. Quinn a este respecto: «Los procesos ecológicos se producen en un nivel distinto que la verdadera interacción social. Las relaciones humanas sociales suponen *consensus,* cambio de ideas a través de símbolos de comunicación y supuestos imaginativos sobre el papel de los otros. Los procesos ecológicos, en cambio, sólo envuelven una inmediata e impersonal forma de mutua modificación por la cual cada hombre influye en otros, aumentando o disminuyendo la aportación de factores ambientales de que los otros dependen. La interacción ecológica no puede concebirse como social, excepto en el sentido de que influye la interacción social»[6].

Según esto, en los procesos ecológicos no intervienen como agentes causales ni la volición humana, ni los propósitos deliberados, ni los factores espirituales que corresponden al nivel cultural. Sin embargo, sucede que la realidad de las ciudades se separa muy a menudo de estos principios económicos-racionalistas. Frente a esto –nos apoyamos en el análisis de W. Firey–, los ecologistas han tomado dos posturas. Unos, los racionalistas estrictos, consideran que las desviaciones que en la realidad se producen de ningún modo modifican la validez de la teoría. No es que existan otros factores no económicos con los que hay que contar, sino que la ignorancia y el error son la única causa de la desviación que se produce en el uso racional del suelo. Según estos racionalistas estrictos, muchas veces la falta de una fuerte competencia es responsable de una mala ocupación del suelo, con lo cual revalorizan su teoría como fuente de orden en la adaptación espacial. Es evidente que características físicas del terreno, peculiaridades de los sistemas de transporte y otros factores del mismo tipo pueden influir considerablemente en la estructura espacial, pero ello no implica ninguna rectificación teórica.

Pero la mayoría de los racionalistas empíricos no tienen a este respecto una postura tan purista y consideran que existen factores modificativos que no son sólo consecuencia de la ignorancia, el error o la inercia, sino que dependen del área de lo social. Se otorga, pues, a lo social una función por lo menos modificativa. Se acepta la eficacia causativa de estos factores no racionalistas, aunque no por ello se altera el esquema racionalista mismo. Es decir, todos estos factores se incluyen en una categoría distinta y se les coloca la etiqueta de factores limitativos, modificativos, complicativos, etc. En esta categoría se pueden incluir a «costumbres», actitudes morales, tabúes, tendencias culturales, esquemas tradicionales, disposiciones políticas o administrativas, etc.

Todo esto complica, modifica, perturba, limita el verdadero proceso económico, y por eso los ecólogos más realistas lo aceptan como causas en este sentido secundarias, no como causas principales y últimas.

MacKenzie tipifica esta segunda postura de compromiso en los siguientes términos:

«La comunidad humana, lo mismo que la de los organismos inferiores, es fundamentalmente el producto de fuerzas bióticas y ambientales. El hombre, sin embargo, es un animal cultural y, por consiguiente, capaz de modificar su medio (control del medio) y de crear dentro de limitaciones su propio hábitat»[7].

Park lo expresa de la siguiente manera: «La ecología humana tiene, sin embargo, que enfrentarse con el hecho de que en la sociedad humana la competencia está limitada por la costumbre. La superestructura cultural se impone como un instrumento de dirección y control sobre la subestructura biótica».

Pero luego el mismo Park afirma que este control complica el proceso social, aunque no lo altera fundamentalmente, o si lo altera, los efectos de la competencia biótica se vuelven a producir en el orden sucesivo y en el subsiguiente curso de los acontecimientos[8].

Hasta aquí las teorías empírico-racionalistas en materia de ecología urbana. Ahora nos toca, para acabar con la exposición de las principales tendencias, tratar de las teorías metodológico-racionalistas.

La diferencia entre unas y otras es que mientras aquéllas aplican sus conceptos racionalistas a determinadas agrupaciones y, por consiguiente, interviene en ellas un factor descriptivo, en las segundas lo descriptivo concreto es puramente accidental; lo fundamental en ellas es sentar unas bases metodológicas que permitan universalizar lo más posible los postulados racionalistas.

Estas teorías no persiguen, pues, una exactitud descriptiva de los procesos, sino que éstos se toman en abstracto o como simbólicos.

El principal representante de este grupo de teorías es Alfred Weber, que sentó sus principios en su obra *Teoría de la localización de las industrias.* Weber distingue una teoría «pura» de una teoría «realista». La teoría pura persigue un sistema deductivo cuyas leyes de localización sean válidas para todos los regímenes socioculturales. En otras palabras: sus leyes son independientes de un período histórico particular.

En el planteamiento de la teoría pura se excluyen los factores sociales y culturales que el análisis de la realidad revela y que pertenecen a nuestra civilización de hoy.

Se logrará así descubrir el proceso de adaptación del espacio físico en función de los sistemas sociales, cuando este proceso no es perturbado por la volición humana o por factores socioculturales. O incluso se podrá comprender el proceso que subyace, bajo la adaptación real, al espacio que vemos en cada caso.

Weber titula factor de localización a la ventaja que una actividad económica obtiene de estar situada en un determinado punto. Para una industria, el producir en ese lugar a menos costo que en otro distinto.

El factor de localización es consecuencia de tres circunstancias: (a), puntos de consumo; (b), costo de transporte –que a veces se reduce a (b'), peso de los productos y materias primas, y (b''), distancia del recorrido– y (c), valor de la mano de obra en diferentes lugares.

El método seguido por Weber para determinar teóricamente una localización consiste en dejar un solo factor variable y considerar constantes los otros dos. Éste se llama método de aislamiento. Si consideramos, por ejemplo, que el valor de la mano de obra es constante y que el mercado consumidor es el mismo, tendremos como variable sólo el factor transporte. ¿De dónde deberá estar más cerca de la industria, de la fuente de materias primas o del lugar de consumo? Esto dependerá de lo que Weber llama el *índice material,* que no es sino la relación que existe entre el peso de la materia prima y la del producto elaborado. Si el peso de la materia prima es enorme con relación al producto acabado, es lógico que la industria se localice junto a la fuente de materia prima. Aislando otros factores se procede de la misma manera para, en cada caso, definir la variable en condiciones óptimas.

En conexión con estos factores existen otros secundarios, como son las fuerzas aglomerantes y las fuerzas desaglomerantes. Es indudable que una industria puede obtener beneficios de su contacto con otras; pero si este contacto o aglomeración es muy buscado, la carestía del terreno puede no compensar las ventajas de la concentración, y entonces se produce una desaglomeración.

En su teoría pura Weber tiene que partir de que existen por lo menos unas plazas de consumo. Parte, pues, de una población agrícola fijada. (Es una limitación a la pura teoría, porque para que exista fijada esta población agrícola han tenido que intervenir variables culturales, técnicas-agrícolas, etc.) Una vez fijada, quedan localizadas las industrias primarias de acuerdo con el *índice material*. Éstas, a su vez, crean nuevas plazas de consumo, etc. Queda otro factor más difícil de manejar, que es el de los costos de la mano de obra. Estos costos son afectados por sistemas económicos particulares; por consiguiente, hay que abandonar la teoría pura por la realista o práctica, y así lo reconoce el propio Weber.

Para Weber, la manera de operar los factores socioculturales en la localización de las industrias se realiza sólo a través de la variable de la mano de obra. Reconoce que hoy en día que el transporte se ha abaratado tanto y son tantos los centros de consumo, el factor mano de obra es primordial. Por consiguiente, la localización se ha emancipado de la pura teoría y tiene que colocarse de acuerdo con estas imposiciones de tipo sociocultural. Localidades que se han hecho prósperas por ventajas históricas atraen un excedente de población que a la vez buscan los industriales que necesitan mano de obra. Otras veces, las masas trabajadoras se sitúan también por sentimientos patrióticos, localistas o irracionales.

Otros autores que pertenecen al mismo grupo son Oskar Englander y Andreas Predohl. El primero considera que los factores socioculturales influyen también a través del sistema de cambios, de la organización de la producción y de la estructura de la población. En su análisis intervienen más los conceptos de economía familiar, principalmente la demanda marginal, y el principio de sustitución; es decir, que no se utilizarán determinados medios de producción a un fin que produce menos beneficios que otros.

Así, dado el lugar de producción, la capacidad de demanda marginal producirá la extensión del mercado, y a la inversa, dado el lugar de consumo, el principio de sustitución determinará la situación económica del lugar de producción.

En otras palabras, para un lugar de producción determinado, el lugar de consumo se definirá de acuerdo con esa demanda marginal y sus límites alcanzarán a aquel lugar donde los gastos de transporte no hagan imposible la demanda marginal.

En cambio, para un mercado dado el lugar de producción vendrá fijado por el principio de sustitución. Es decir, será aquel que resulte más productivo para el empresario entre todos los posibles, pues caso de existir otro más favorable se produciría la sustitución.

El sistema de Predohl no se separa del de Weber sino en que acentúa más la importancia del principio de sustitución.

Todos estos procesos de ecología urbana están, como se ve, fundados en la existencia de la ciudad capitalista, donde operan las fuerzas de la libre empresa. Han partido del análisis de la ciudad americana de nuestros días, consecuencia apenas transformada de lo que fue la urbe paleotécnica, la que hemos llamado ciudad industrial. Sin embargo, queda fuera de esta sistemática la ordenación ecológica de las ciudades de régimen socialista, donde no existe la libre especulación del suelo. Por tanto, ni es aplicable al pasado, al inmenso pasado urbano de las civilizaciones pretéritas, que hemos tratado de interpretar a la luz de la Historia, ni va a ser enteramente aplicable a la ciudad del porvenir, que tanto en las áreas socialistas, como en las social-demócratas, camina cada vez más hacia una planificación intensiva, con participación predominante del Estado previsor.

Notas

Lección 1

1. Aristóteles, *Política*, Libro III, cap. I.
2. Ley 6.ª, Título XXXIII, Partida 7.ª.
3. Cantillon, *Essai sur la nature du commerce. Apud* Werner Sombart, *Lujo y Capitalismo,* Rev. de Occidente, Madrid, 1928, p. 65.
4. *Obras completas,* II, p. 408.
5. *O. C.,* II, p. 537
6. *O. C.,* II, p. 323
7. F. Chueca, *Nueva York. Forma y Sociedad,* Madrid, 1953, p. 12.
8. Ernst Egli, *Climate and Tow Districts, Consequences and Demands,* Zúrich, 1951, p. 18.
9. L. Torres Balbás, «Las ciudades musulmanas y su organización», *Revista del Instituto de Estudios de Administración Local,* núm. 6, 1942.
10. Spengler, *La decadencia de Occidente,* vol. III, p. 131 de la traducción española.
11. Spengler, *op. cit.,* III, pp. 131 y 132.
12. Lewis Mumford, *The Insensate Industrial Town. Apud* Paul K. Hall y Albert J. Reiss, *Reader in «Urban Sociology»,* The Free Press, Glencoe, Illinois, 1951, p. 82.
13. CIAM, *El corazón de la ciudad,* Hoepli, S. L., Barcelona, 1955, pp. 4 y 5.

Lección 2

1. Max Weber, *Economía y sociedad,* III, Fondo de Cultura Económica, México, 1963, pp. 226-227.
2. Véase: *Resumen histórico del urbanismo en España,* Madrid, 1954, p. 78.
3. Timoteo Domingo Palacio, *Documentos del Archivo General de la Villa de Madrid,* t. III, Madrid, 1907, pp. 166-208.
4. Henri Pirenne, *Medieval Cities: Their Origin and the Revival of Trade,* Princeton University Press, 1925. *Apud, Reader in «Urban Sociology»,* p. 82.
5. Descartes, *Discurso del método,* 2.ª parte.
6. Julián Marías, *Introducción a la Filosofía,* 4.ª ed., p. 190.
7. *Op. cit.,* III, p. 136.
8. *Op. cit.,* III, p. 135.
9. *Apud* Fustel de Coulages: *La cité antique,* p. 160.
10. *Op. cit.,* II, p. 408.
11. *Vide supra,* p. 17.
12. *The City,* University of Chicago Press, 1925. *Apud, Reader in «Urban Sociology»,* p. 2.
13. Park, *op. cit.,* p. 4.
14. Julián Marías, *La estructura social,* Madrid, 1956, p. 281.
15. Jorge Simmel, *Cultura femenina y otros ensayos,* Madrid, 1934, p. 218.
16. *La estructura social,* p. 283.

Lección 3

1. *The Evolving House,* vol. I, *A History of the Home,* 1933-1936. *Apud* Arthur B. Gallion, *The Urban Pattern,* Nueva York, 1951, p. 6.
2. Antonio García y Bellido, *Urbanística de las grandes ciudades del Mundo Antiguo,* Consejo Superior de Investigaciones Científicas, Madrid, 1966, p. 44.
3. García y Bellido *(op. cit.,* p. 51) opina ser inadmisible que el trazado de Rodas se deba a Hippodamos, a pesar de la tradición recogida por Estrabón (XIV, 2, 9).
4. M. Rostovtzeff, *Historia Social y Económica del Imperio Romano,* Madrid, 1937. t. I, p. 267.

Lección 4

1. Frederic Van Der Meer, *Atlas de la Civilisation Occidentale*, Elsevier, edit. París, Bruselas, 1952.
2. *El Espectador*, VIII, 1934. *Obras completas*, t. II, pp. 661 a 679. Las páginas citadas en el texto son las que anota el propio Ortega tomadas de la edición de los *Prolegómenos* de Abenjaldún de M. de Slane, París, 1858.
3. Página 340. Ortega y Gasset, *Obras completas*, II, pp. 669.
4. *Op. cit.*, II, pp. 665-666.
5. Robert E. Dickinson, *The Wes European City*, Londres, 1951, p. 273.
6. Louis Gardet., *La Cité Musulmane. Vie Sociale et Politique*, Libraire Philosophique J. Vrin, París, 1954, p. 35.
7. Pierre George, *La ville*, Presses Universitaires de France, París, 1952, pp. 270-271.
8. Torres Balbás, «La estructura de las ciudades hispanomusulmanas: La medina, los arrabales y los barrios», *Al Andalus*, XVII, 1953, pp. 149, 177.
9. Torres Balbás, Cervera, Chueca, Bidagor, *Resumen histórico del Urbanismo en España*, Instituto de Estudios de Administración Local, Madrid, 1954, p. 28.

Lección 5

1. *El rapto de Europa*, cap. V, p. 140.
2. Henry Pirenne, *Medieval Cities. Their Origin and the Revival of Trade*, Princeton University Press, 1925.
3. Pierre Lavedan, *L'Architecture Française*, Coll. Arts, Styles et Techniques, Larousse, París, 1944, p. 202.
4. Véase Luigi Piccinato, «Urbanistica Medioevale», en *L'Urbanistica dall'Antichità ad Oggi*, de varios autores, Florencia, 1943.
5. Robert. E. Dickinson, *The West European City*, Londres, 1951, pp. 268-279.
6. Torres Balbás, Cervera, Chueca, Bidagor, *Resumen histórico del Urbanismo en España*, Instituto de Estudios de Administración Local, Madrid, 1954, pp. 50-74.
7. Torres Balbás, *op. cit.*, p. 59.
8. Julio Caro Baroja, *Los vascos*, San Sebastián, 1947.

Lección 6

1. Cecil Stewart, *A Prospect of Cities,* Londres, 1952, p. 100.
2. J. A. Maravall, «La estimación de lo nuevo en la cultura española», *Cuadernos Hispano Americanos,* núms. 170-171.
3. Y el que estaba sentado en el trono dijo: «He aquí, yo hago nuevas todas las cosas». Apoc. 21, 5.
4. Tomamos esta cita del Vitrubio traducido por Perrault en 1673 y que ha sido reimpreso y revisado por André Dalmar, Edition Les Libraires Associes, 1965, p. 31.
5. Vitrubio, *op. cit.,* p. 29.
6. Vitrubio, *op. cit.,* p. 29.
7. Vitrubio, *op. cit.,* p. 31.
8. Francesco di Giorgio Martini, *Tratato di Architettura civile e militare,* Edición Promis, Turín, 1811.
9. *Vid.* M. Lazzaroni y A. Muñoz, *Filarete, scultore e architetto del Sec. XV,* Roma, 1908.
10. Un estudio de las ciudades ideales del Renacimiento puede verse en Gustavo Giovanoni, *L'Architettura del Rinascimiento,* Milán, 1935.
11. Pierre Lavedan, *Histoire de L'Urbanisme. Renaissance et Temps Moderns,* 2ème éd., París, 1959, pp. 106, 118.
12. Gustavo Giovannoni, «L'Urbanistica del Rinascimiento», en *L'Urbanistica dall'Antichità ad Oggi,* de varios autores, Sansoni, Florencia, 1943, p. 111.
13. Luis Cervera Vera, *El Conjunto Palacial de la Villa de Lerma,* Madrid, 1967.
14. Un estudio detallado de las plazas medievales puede verse en *Resumen histórico del Urbanismo en España,* Madrid, 1954, pp. 98-107.
15. Robert Ricard, «La "Plaza Mayor" en Espagne et en Amerique espagnole. Notes pour une étude», *Annales,* París, 1947. Traducido en *Estudios geográficos,* tomo LXXXVII, Madrid, 1951. Robert Ricard, «Apuntes complementarios sobre la plaza Mayor española y el Rossio potugués», *Estudios geográficos,* t. XIII, 1952.
16. Leonardo Benèvolo, «Las nuevas ciudades fundadas en el siglo XVI en América Latina. Una experiencia decisiva para la Historia de la Cultura arquitectónica del Cinquecento», *Boletín del Centro de Investigaciones Históricas y Estéticas de la Universidad Central de Venezuela,* Facultad de Arquitectura y Urbanismo, núm. 9, abril 1968, pp. 117 y 136.
17. *Utopías del Renacimiento,* Estudio preliminar de Eugenio Imaz, Fondo de Cultura Económica, México, 1956, p. XIII.

18. *Recopilación de las Leyes de los Reynos de las Indias* (Edición facsimilar de la cuarta impresión, hecha en Madrid el año 1791).
19. *Ibídem*, II, p. 19.
20. Fernando Chueca, Torres Balbás, *Planos de ciudades Iberoamericanas y Filipinas. Existentes en el Archivo de Indias*, «Introducción», t. I, pp. XIII y XIV, Madrid, 1951.
21. *Planos de ciudades Iberoamericanas y Filipinas, op. cit.*, «Introducción», p. XV.
22. *Recopilación de las Leyes..., op. cit.*, II, p. 23.

Lección 7

1. Lewis Mumford, *La cultura de las ciudades*, t. I, pp. 140-141.
2. Véase *Lujo y capitalismo*, Ed. Revista de Occidente, p. 53.
3. M. L. Caturla, *Pinturas, frondas y fuentes del Buen Retiro*, Editorial Revista de Occidente, Madrid, 1947, pp. 9 y 10.
4. Ortega y Gasset, *Velázquez*, Editorial Revista de Occidente, 1954, p. XVIII.
5. Pierre Lavedan, *Histoire de L'Urbanisme. Renaissance et Temps Modernes*, 2.ª ed., París, 1959, pp. 33 y 34.
6. *Resumen histórico del Urbanismo en España*, Madrid, 1954, p. 153.
7. Valerio Mariani, «L'Urbanistica nell'età Barocca», en *L'Urbanistica dall'Antichità ad Oggi*, de varios autores, Florencia, 1943.
8. Patte, *Monuments erigés en France à la gloire de Louis XV*, París, 1765.
9. El lector que desee conocer algo más del urbanismo español de esta época puede acudir al libro ya citado, *Resumen histórico del urbanismo en España*, Madrid, 1954, y a la reciente publicación de E. A. Gutkind, *Urban development in southern Europa: Spain and Portugal*, Nueva York, 1967.
10. Para conocimiento de nuestro urbanismo decimonónico consúltese el estudio de Pedro Bidagor en *Resumen histórico del Urbanismo en España*, Madrid, 1954.

Lección 8

1. Adam Smith, *The Wealth of Nations*, ed. por Edwin Cannan, University Paperbacks, Londres, 1961, vol. I, pp. 8-9.
2. L. Mumford, *La cultura de las ciudades*, t. I, Emecé, Buenos Aires, p. 266.

3. Nombre tomado de la novela de Dickens *Hard Times* que pinta estos ambientes.
4. George R. Collins y Carlos Flores, *Arturo Soria y la ciudad Lineal,* Editorial Revista de Occidente, Madrid, 1968.
5. Guiseppe Samoná, *L'urbanistica el'avenire della città,* Bari, 1960, p. 37.
6. Véase el elogio de los barrios madrileños de esta época en mi libro *El semblante de Madrid.*
7. *Revista de Occidente,* núms. 8 y 9 (2.ª ép.), pp. 330-332.

Lección 9

1. Mark Jefferson, «Distribution of the World's City Folks», *Geografical Review,* 21 (1931), pp. 446-465.
2. F. Weber, *The Growth of Cities in the Nineteenth Century,* 1899. Completados por Mark Jefferson, *op. cit.*
3. Ralph Thomlinson, *Populations Dynamics,* Random House, Nueva York, 1965, p. 276.
4. Pierre George, *La ville,* Presses Universitaires de France, 1952.
5. Ángel Abascal Garayoa «La evolución de la población urbana española en la primera mitad del siglo xx», *Geographica,* Zaragoza, enero-diciembre de 1956.
6. Nels Anderson, *Urban Comunity,* Fondo de Cultura Económica, México, 1965, p. 237.
7. «Social Change in the Muslim Cities of North Africa», en *American Journal of Sociology,* vol. 60, núm. 5, marzo 1955, p. 530. *Apud* Nels Anderson, *op. cit.,* p. 253.
8. *Urban Land Policies,* Nueva York, Secretaría de las Naciones Unidas, Documento ST/SCA/9 abril de 1952, p. 173. *Apud* Nels Anderson, *op. cit.,* p. 252.
9. Véase Hans Blumenfeld, «The Modern Metropoli», en *Scientific American,* septiembre de 1965, pp. 64-74.
10. Aaron Fleisher, «Influencia de la tecnología sobre la forma de la ciudad», en Lloyd Rodwin y otros, *La Metrópoli del Futuro* (trad. española de *The Future Metropolis),* Seix Barral, Barcelona, 1967, p. 88.
11. Theo Crosby, *Architecture: City Sense,* Nueva York, 1965, p. 41.
12. Martin Meyerson, «Tradiciones utópicas y urbanismo», en Lloyd Rodwin y otros, *La Metrópoli del futuro* (trad. española de *The Future Metropolis),* Seix Barral, Barcelona, 1967, pp. 285-287.

Lección 10

1. Walter Firey, *Land use in Central Boston,* Harvard Sociological Studies, Havard University Press, Cambridge, Mass., 1947, pp. 3-38.
2. Véase *New York City. A Study of its populations changes,* julio, 1951.
3. Homer Hoyt, *The Structure and Growth of Residential Neighborhords in American Cities,* Washington, 1939.
4. Walter Firey, *Land Use in Central Boston,* Harvard University Press, 1947.
5. «The Problem of Retail Site Selection», *Michigan Business Studies,* vol. 9, núm. 1 (Ann Arbor, 1939), p. 60.
6. Quinn, «Human Ecology and Interactional Ecology», en *American Sociological Review,* 5, 713-722 (octubre, 1940).
7. McKenzie, «Human Ecology», en *Enciclopedia of the Social Sciences.*
8. Park, *Human Ecology.*

Índice